Ludolf Müller · Die Taufe Rußlands

LUDOLF MÜLLER

# DIE TAUFE RUSSLANDS

Die Frühgeschichte des russischen Christentums
bis zum Jahre 988

ERICH WEWEL VERLAG MÜNCHEN

QUELLEN UND STUDIEN ZUR RUSSISCHEN GEISTESGESCHICHTE

HERAUSGEBER: LUDOLF MÜLLER

BAND 6

**CIP-Titelaufnahme der Deutschen Bibliothek**

**Müller, Ludolf:**
Die Taufe Rußlands: d. Frühgeschichte d. russ. Christentums bis
zum Jahre 988 / Ludolf Müller. – 1. Aufl. – München: Wewel, 1987
  (Quellen und Studien zur russischen Geistesgeschichte; Bd. 6)
  ISBN 3-87904-104-0
NE: GT

1. AUFLAGE 1987

©

COPYRIGHT 1987

BY ERICH WEWEL VERLAG, MÜNCHEN

UMSCHLAGZEICHNUNG VON ANTON OBERFRANK

UMSCHLAGGESTALTUNG: SIEGBERT SEITZ

HERGESTELLT IN DEN WERKSTÄTTEN DER

VERLAG UND DRUCKEREI G. J. MANZ, DILLINGEN/DONAU
ISBN 3-87904-104-0

## Vorwort

Im kommenden Jahr, 1988, feiert die Russische Orthodoxe Kirche, und mit ihr feiern viele andere Kirchen in der Christenheit die tausendste Wiederkehr des Tages, an dem der Kiewer Großfürst Wladimir zuerst sich selbst und wenig später die Bevölkerung von Kiew hat taufen lassen. Dieses Jubiläum hat auch in weiten Kreisen unseres Volkes das Interesse an der Frühgeschichte Rußlands und der russischen Kirche belebt.

Um diesem Interesse zu genügen, versuche ich in dem vorliegenden Buch darzustellen, wie und woher und auf welche Weise das Christentum nach Rußland gelangt ist und wie es kam, daß Rußland sich für das östliche Christentum entschieden hat, und welche Bedeutung diese Entscheidung für Rußland selbst, für die weltweite Orthodoxie und für die gesamte Welt- und Kirchengeschichte in dem damals gerade beginnenden und jetzt zu Ende gehenden zweiten Jahrtausend der christlichen Ära hatte.

Viele Probleme der Frühgeschichte des russischen Christentums waren lange umstritten und sind es zum Teil heute noch. Um dem Leser zu zeigen, wie ich, auch in strittigen Fragen, zu meiner Auffassung von den hier geschilderten Ereignissen komme, führe ich die historischen Quellen, aus denen wir die Kenntnis jener Vorgänge schöpfen, ausgiebig an. *Eine* Ausnahme mache ich allerdings: Für eine der wichtigsten Quellen, die altrussische Nestorchronik, verweise ich auf das Buch »Helden und Heilige aus russischer Frühzeit«, das im Jahre 1984 als Band 3 dieser Reihe »Quellen und Studien zur russischen Geistesgeschichte« erschienen ist. In ihm sind alle für die Frühgeschichte des russischen Christentums wichtigen Erzählungen aus der Nestorchronik in kommentierter Übersetzung dargeboten, und es kann als begleitendes Textbuch zu der hier folgenden Darstellung dienen.

Ausdrücklich möchte ich bemerken, daß das Wort »Rußland«, wie es in diesem Buch gebraucht wird, eine etwas andere Bedeutung hat als in der Moskauer und Petersburger Epoche der Geschichte der ostslawischen Völker. Es bezeichnet für die Frühzeit, die mit der Eroberung und Zerstörung Kiews durch die Tataren im Jahre 1240 zu Ende ging, das »Rus'-Reich«, dessen Hauptstadt und geistiges

Zentrum Kiew war; das staatstragende Volk dieses Reiches waren
die Ostslawen, die damals noch nicht, wie heute, sprachlich und
kulturell differenziert waren in das ukrainische, weißrussische und
großrussische Volk. Ihre gemeinsame Sprache war das, was wir
heute das »Gemeinostslawische« oder »Altrussische« nennen.
Die slawischen Namen und Wörter, die im Original in kyrillischer
Schrift geschrieben sind, transkribiere ich nach dem System, das
auch in den anderen Bänden dieser Reihe benutzt ist. Ich habe es
in dem 2. Band (»Dostojewskij«) auf S. 118–120 ausführlich
dargestellt. Es ist danach leicht, die russischen Worte annähernd
richtig auszusprechen. Nur an *einer* Stelle habe ich das dort
dargestellte System geändert: Ich gebe auch in der »allgemeinver-
ständlichen Umschrift« das sogenannte Weichheitszeichen (durch
einen Apostroph) wieder. Es zeigt die »palatale« Aussprache des
vorangehenden Konsonanten, d. h. seine innige Verschmelzung mit
einem »j« an. Das palatale »l« klingt etwa wie in französisch
»Bouillon«, das palatale »n« wie in »Cognac«, das palatale »t« wie
in unserer Interjektion »tja«. Bei der Anführung von Buchtiteln oder
wenn ein russisches Wort in Anführungszeichen gesetzt ist, benutze
ich die in den wissenschaftlichen Bibliotheken verwandte Umschrift. Die russischen Namen habe ich mit Betonungszeichen
versehen. Nur bei dem Namen »Kiew« (der zweisilbig gesprochen
wird, mit Betonung auf der ersten Silbe, also »Kíjew«) habe ich
darauf verzichtet; ferner, wenn ein Name mit Selbstlaut beginnt und
der Ton auf der ersten Silbe liegt, wie bei »Ol'ga« oder »Igor'«. –
Die Landkarte auf dem Rückdeckel dient nur einer ersten
Orientierung. Das Literaturverzeichnis ist keine Bibliographie im
eigentlichen Sinne des Wortes (eine solche könnte einen eigenen
Band dieses Umfangs füllen); es verzeichnet nur die in meiner
Darstellung *zitierten* Arbeiten.
Ich wünsche mir, daß dies Buch in unserem Volk das Interesse und
das Verständnis für die Geschichte und Kultur der ostslawischen
Völker und für die nun bald tausendjährige Russische Orthodoxe
Kirche, die die Seele dieser Kultur ist, fördern möge.

Tübingen, am 3. Oktober 1987

Ludolf Müller

# Inhaltsverzeichnis

Vorwort . . . . . . . . . . . . . . . . . . . . . . . . 5
Die Andreaslegende . . . . . . . . . . . . . . . . . . . 9
Die »Russen« des 9. und des frühen 10. Jahrhunderts . . . 16
»Russen« in Ingelheim am Rhein . . . . . . . . . . . . . 19
Raubüberfälle auf griechische Städte und erste Bekehrungen . 24
   1. Amástris . . . . . . . . . . . . . . . . . . . . 24
   2. Ssúrosh . . . . . . . . . . . . . . . . . . . . . 29
Der Überfall der »Russen« auf Konstantinopel im Jahre 860 . 32
Das Werk der Slawenlehrer Konstantin (Kyrill) und Method 44
Die erste Taufe Rußlands . . . . . . . . . . . . . . . . 57
Untergang der ersten russischen Kirchenorganisation und
   langsamer Neubeginn . . . . . . . . . . . . . . . . 66
Die Fürstin Ol'ga – »die Vorläuferin des christlichen Landes« 72
Rückschritt unter Sswjatossláw (964–972) . . . . . . . . 87
Jaropólk (972–980) begünstigt das Christentum . . . . . . 88
Wladímir als Kämpfer für das Heidentum . . . . . . . . 92
Die weltgeschichtliche Bedeutung der Bekehrung Wladímirs 94
Die Quellen über die Taufe Wladímirs . . . . . . . . . . 96
   1. Die Missionslegende . . . . . . . . . . . . . . . 97
   2. Die Kórssuner Legende . . . . . . . . . . . . . . 101
   3. Der Lobpreis Ilarións . . . . . . . . . . . . . . 102
   4. Die Gedächtnis- und Preisrede des Mönches Iákow 104
   5. Der Bericht des Yaḥjā von Antiochien . . . . . . . 105
Der Wert der Quellen über die Taufe Wladímirs . . . . . 107
Der Ablauf der Ereignisse . . . . . . . . . . . . . . . . 111
Anmerkungen . . . . . . . . . . . . . . . . . . . . . . 117
Alphabetisches Verzeichnis der in diesem Buch zitierten Literatur und der dafür verwendeten Abkürzungen . . . . 128

## DIE ANDREASLEGENDE

Die altrussische »Nestorchronik«, die bald nach 1113 in einem
Kiewer Kloster ihre endgültige Gestalt gefunden hat[1], läßt die
Vorgeschichte des Christentums in Rußland schon in der Zeit der
Apostel Jesu Christi beginnen. Von früh an hatte man »Skythien«,
die Länder nördlich des Schwarzen Meeres, als das Missionsgebiet
des Apostels Andreas, des »Erstberufenen«[2], betrachtet. Der
Kirchenhistoriker Euseb (gestorben 339) berichtet in seiner »Kirchengeschichte« (III, 1) unter Berufung auf Origenes (gestorben
254):

> Da aber die heiligen Apostel und Jünger unseres Erlösers sich über
> die ganze bewohnte Erde zerstreut hatten, erhielt Thomas, wie
> die Überlieferung sagt, Parthien [als Missionsgebiet] zugeteilt,
> Andreas Skythien, Johannes Asien, wo er auch nach längerem
> Aufenthalt in Ephesus starb.

Diese kurze Erwähnung des Andreas wurde in der mittelbyzantinischen Andreaslegende, die im 9. Jahrhundert entstanden ist[3], zu
einer umfangreichen Lebensbeschreibung ausgestaltet, in der die
Missionstätigkeit des Apostels rings um das Schwarze Meer, die
Gründung der Kirche von Byzanz, dem späteren Konstantinopel,
und sein Martyrium in der griechischen Stadt Patrai (Patras)
ausführlich beschrieben wurde. In Rußland hat die byzantinische
Legende dann eine Erweiterung gefunden, die den Apostel Andreas
zwar nicht zum Gründer der russischen Kirche macht, ihn aber doch
durch Rußland reisen und die kirchliche Bedeutung der Hauptstadt
dieses Reiches prophezeien läßt. Die Erzählung der Nestorchronik
über den Apostel Andreas lautet:

> Als Andreas in Sinópe[4] lehrte und als er nach Kórssun' gekommen
> war, sah er, daß von Kórssun' aus die Mündung des Dnepr nahe
> ist. Und er wollte nach Rom fahren, und er fuhr in die
> Dnepr-Mündung hinein, und von da fuhr er dnepr-aufwärts. Und
> es begab sich, daß er kam und machte Halt unterhalb von Bergen
> am Ufer; und am anderen Morgen stand er auf und sagte zu den
> Jüngern, die mit ihm waren: »Sehet ihr diese Berge? Denn auf

diesen Bergen wird aufstrahlen die Gnade Gottes. Es wird eine
große Stadt sein, und Gott wird viele Kirchen errichten.« Und
nachdem er hinaufgegangen war auf diese Berge, segnete er sie
und errichtete ein Kreuz. Und nachdem er zu Gott gebetet hatte,
stieg er herab von diesem Berg, wo später Kiew entstand. Und
er fuhr dnepr-aufwärts und kam zu den Slowenen[5], wo jetzt
Nówgorod ist, und sah die Menschen, die dort waren, welche
Gewohnheit sie haben und wie sie sich waschen und peitschen.
Und er wunderte sich über sie und fuhr zu den Warägern[6] und
kam nach Rom und erzählte, wieviel er gelehrt und wieviel er
gesehen hatte. Und er sprach zu ihnen: »Wundersames habe ich
gesehen im slowenischen Lande, als ich hierher fuhr. Ich sah
hölzerne Badestuben, und sie heizen sie bis zur Gluthitze und
ziehen sich aus und sind nackt. Und sie übergießen sich mit
Gerbersäure. Und sie erheben junges Reisig gegen sich und
schlagen sich selbst, und sie schlagen sich so lange, bis sie kaum
lebendig herauskommen, und sie übergießen sich mit kaltem
Wasser, und so leben sie wieder auf. Und das tun sie alle Tage,
von niemandem gepeinigt, sondern selbst peinigen sie sich. Und
das tun sie sich als Reinigung und nicht als Peinigung.« Die aber,
da sie es hörten, wunderten sich. Andreas aber, nachdem er in
Rom gewesen war, kam nach Sinópe.

Man hat diese Erzählung im alten Rußland für historisch zuverlässig
gehalten und sie seit dem 16. Jahrhundert sogar noch weiterent-
wickelt, indem man aus ihr herauslas, was gar nicht in ihr gesagt
wird: daß Andreas in Rußland auch gepredigt und getauft habe und
daß er also der eigentliche Begründer der russischen Kirche sei. Zu
dem päpstlichen Gesandten Antonius Possevinus sagte Zar Iwan IV.
(»der Schreckliche«) im Jahre 1582: »Wir haben den christlichen
Glauben gleich zu Beginn der christlichen Kirche empfangen, als
Andreas, der Bruder des Apostels Petrus, auf der Reise nach Rom
in diese Gegenden gekommen ist. [. . .] Deswegen haben wir in
Moskowien zu der gleichen Zeit wie ihr in Italien den christlichen
Glauben erhalten, den wir auch treu bewahrt haben.«[7] Noch heute
gibt es kirchliche und auch weltliche Historiker innerhalb und
außerhalb der Sowjetunion, die die Geschichte für wahr halten oder

ihr mindestens einen historischen Kern zubilligen. Ich meine: vergeblich. Seit dem 18. Jahrhundert haben kritische Historiker wie Metropolit Platón und Nikoláj Karamsín in Rußland oder August Ludwig Schlözer in Deutschland ihre Zweifel geäußert, und vor mehr als hundert Jahren hat der große russische Kirchenhistoriker Golubínskij jeden Versuch, die Andreas-Legende als historisch glaubwürdig zu betrachten, temperamentvoll und überzeugend zurückgewiesen[8]. Selbst wenn man auf Nówgorod im Norden Rußlands verzichten wolle, so sagt er, auch im Gebiet Kiews kann Andreas unmöglich gewesen sein; denn die Dnepr-Stromschnellen weit unterhalb von Kiew waren für die aus dem Mittelmeerraum kommenden Reisenden ein entschiedenes Hindernis, sie waren so etwas wie nordöstliche Säulen des Herkules.

Für die späte Entstehung der Andreaslegende spricht auch die Tatsache, daß an anderer Stelle der Nestorchronik eine Auffassung vertreten wird, die der Andreaslegende widerspricht. Es heißt da, in dem Artikel über das Jahr 983: »Wenn die Apostel auch mit ihrem Leib nicht hier [in Rußland] gewesen sind, so tönen doch ihre Lehren wie Posaunen in den Kirchen über die bewohnte Erde hin . . .«[9] Die Andreaslegende kann dem Verfasser dieses Teils der Nestorchronik nicht bekannt gewesen und sie muß erst später (allerdings nicht später als 1116) in die Chronik eingetragen sein.

Wann und wo und wie mag sie entstanden sein[10]?

Der Apostel Andreas, in der Kirche von jeher verehrt als »Erstberufener der Apostel und Bruder des Apostelfürsten«[11], stand, seit man in ihm den Gründer der Kirche von Byzanz sah, hier in besonders hohem Ansehen. Seit den 80er Jahren des 11. Jahrhunderts ist auch für Rußland eine intensive kultische Verehrung dieses Apostels bezeugt. 1086 wird in Kiew, wenig später in Perejassláwl' eine Andreaskirche gebaut. 1102 erhält der Sohn des Fürsten von Perejassláwl', des Wladímir Monomách, in der Taufe den Namen Andrej, der von nun an in Rußland beliebt ist.

Sicherlich wurden am Festtag des Apostels (dem 30. November) in den Andreaskirchen in Kiew und dem noch weiter südlich gelegenen Perejassláwl' Reden zu seinem Lobpreis gehalten, und ich möchte glauben, daß ein Prediger hier gelegentlich einmal den Apostel von Skythien auch für die Lande am mittleren Dnepr in Anspruch genommen und die Vermutung gewagt oder es auch als gesicherte Tatsache berichtet hat, daß Andreas bei seinen Reisen durch »Skythien« auch einmal in das Gebiet des späteren Rußland gekommen sei.

Aber aus dieser schwer zu widerlegenden (und darum sogar heute noch vielfach geglaubten) Behauptung von einem Aufenthalt des Apostels Andreas in Kiew mußte sich bei genauerem Nachdenken eine Reihe schwer zu beantwortender Fragen ergeben.

Zunächst die Frage: Was hat er hier gemacht? Die normale Beschäftigung eines Apostels – predigen, taufen, Bischöfe einsetzen – kann er kaum ausgeübt haben. Denn für das Geschichtsbewußtsein jener Zeit begann das russische Christentum erst im 10. Jahrhundert, selbst die Anfänge im 9. Jahrhundert waren offenbar vergessen. Hätte man den Ursprung der Kirche im Raum um Kiew in die apostolische Zeit zurückverlegt, so hätte man hinzufügen müssen, daß diese apostolische Gründung später wieder untergegangen sei. Dies aber ist für den mittelalterlichen Menschen immer eine schwierige, besondere Begründung verlangende Annahme.

Setzte man also voraus, daß der Apostel zwar in Kiew gewesen sei, aber die Kiewer Kirche nicht begründet, hier also nicht gepredigt und nicht getauft habe, so entstand eine neue Schwierigkeit: Wozu hat er dann die doch immerhin nicht ganz kurze Reise von Kórssun' in die Gegend von Kiew gemacht? Die nächstliegende Antwort auf diese naheliegende Frage war: Der Apostel ist *auf der Durchreise* durch die Gegend von Kiew gekommen.

Aber was konnte das für eine Reise sein, die ihn, der am Schwarzen Meer seine Operationsbasis hatte, an Kiew vorbeiführte? Im Norden Europas gab es ja keine apostolischen Gründungen. An dieser Stelle half das Motiv des doppelten Romweges. Nicht nur für das Bewußtsein der Skandinavier, sondern auch für das der Russen gab es zwei Wege nach Rom: den einen über die Ostsee und Westeuropa, den anderen über das Schwarze Meer. Für die Nowgoroder war der Weg nach Rom über die Ostsee ganz natürlich. Daß man sich aber auch in Kiew dieses doppelten Romweges bewußt war, zeigt gerade die Stelle der Nestorchronik, an der die Andreaslegende eingefügt ist. Denn dort war kurz zuvor gesagt worden, daß Kiew an dem Weg »von den Warägern [= Schweden] zu den Griechen« liege, und dieser Weg war folgendermaßen beschrieben: von den Griechen [d. h. den griechischen Siedlungen am Nordufer des Schwarzen Meeres] dnepr-aufwärts, und am Oberlauf des Dnepr eine Schleppstrecke bis zum Fluß Lówat', auf der Lówat' in den großen Ilmensee, von da auf dem Wólchow in den Ládogasee, von da in die Newá, von da in das »Warägische Meer« [= die Ostsee], »und auf diesem Meer kommt man bis nach Rom, aber von Rom kommt man auf dem gleichen Meer nach Zar'grad [= Konstantinopel], aber von Zar'grad in das Pontische Meer [= Schwarze Meer], in welches der Dnepr mündet«[12]. Ebenso wie in der Andreaslegende wird hier ein Weg beschrieben, der von der Dnepr-Mündung über Nordrußland und das »Warägische Meer« nach Rom führt.

Wollte man den Apostel nun auf der *Durchreise* durch Kiew und Nówgorod kommen lassen, so bot es sich an, ihn auf der nördlichen Variante dieses Romweges nach Rom zu schicken. Aus der mittelbyzantinischen Andreaslegende wußte man, daß Andreas von Kórssun' nach Sinópe zurückgekehrt war[13]. Faßte man Sinópe als das unmittelbare Ziel dieser Rückreise auf, so war ein Umweg über Kiew nicht recht verständlich zu machen. Dagegen, wenn Rom als Zwischenziel eingeschaltet wurde, so konnte es einem Kiewer, der von dem doppelten Weg nach Rom wußte, von den genauen Entfernungen aber nur sehr nebelhafte Vorstellungen hatte, wohl möglich erscheinen, daß der Apostel den *nördlichen* Weg gewählt habe, der von dem Chronisten so ausführlich (und offenbar auch ohne klare Vorstellung von den Entfernungen) beschrieben wird.

Ein Motiv für die Reise nach Rom war leicht zu finden. Hier residierte ja Petrus, der Fürst der Apostel, dazu der Bruder des Andreas. Auch Epiphanios, der Verfasser der mittelbyzantinischen Andreaslegende, berichtet ausführlich von der Ehrerbietung des »Erstberufenen« gegenüber seinem im Range doch höher stehenden Bruder. Auch Epiphanios läßt den Andreas eine weite Reise machen (von Iberien nach Jerusalem), um mit dem Bruder, der damals noch in Jerusalem residierte, zusammenzukommen[14]. Auch das Gesprächsthema des apostolischen Brüderpaars ist in der altrussischen Andreaslegende das gleiche wie bei Epiphanios: »Er berichtete,

wieviel er gelehrt hatte.«[15] Die Erwähnung Roms hat nicht
kirchenpolitische Bedeutung, wie man gemeint hat, sondern sie ist
eine Hilfskonstruktion, durch die eine Reise des Apostels Andreas
nach Kiew ermöglicht wird, die aber doch keine *Missions*reise ist.
Auch das Schweigen über Konstantinopel ist wohl begründet. Wenn
die altrussische Andreaslegende den Apostel auf seinem Rückweg
von Rom nach Sinópe in Byzanz, dem späteren Konstantinopel,
hätte Station machen lassen, so hätte das einen *zwei*maligen Besuch
in Byzanz ergeben: das ganze aus Epiphanios bekannte Itinerar wäre
in Verwirrung geraten, die altrussische Andreaslegende hätte der
mittelbyzantinischen in einem gewichtigen Punkt widersprochen.
In der vorliegenden Form tut sie das nur in geringem Ausmaß. Die
Änderung ist kaum mehr als eine Ergänzung: der Rückweg von
Kórssun' nach Sinópe geht, statt direkt über das Schwarze Meer,
über Kiew, Nówgorod und Rom.

So kann man es gut verstehen, wie die altrussische Andreaslegende
Zug um Zug entstanden ist aus der einmal gegebenen Prämisse, daß
der Apostel auch in Kiew gewesen sei: Ist er hier gewesen, so kann
er doch nicht gepredigt oder gar eine Kirche gegründet haben; hat
er nicht gepredigt, so kann er nur auf der Durchreise hier gewesen
sein; eine Durchreise durch Kiew war nur möglich, wenn er sich
auf dem Weg nach Rom befunden hat; nach Rom wird er gereist
sein, um sich mit seinem Bruder Petrus zu treffen; von Rom muß
er, ohne Byzanz zu berühren, nach Sinópe zurückgekehrt sein, da
er nach den mittelbyzantinischen Andreaslegenden erst auf seiner
letzten Reise (von Sinópe nach Patrai) Byzanz berührt hat.

Es bleibt zu fragen, warum nun auch noch ein Bericht über die
nordrussischen Schwitzbäder in die Legende vom Apostel Andreas
aufgenommen worden ist. Der Witz dieser Anekdote liegt darin, daß
das Bad in der Sauna von dem, der es nicht kennt, für etwas
genommen wird, was es nicht ist: für eine grausame Art der
Selbstquälerei, während es in Wirklichkeit höchsten körperlichen
Genuß bereitet. Nun war das Schwitzbad im Norden Rußlands
bekannt, im Süden unbekannt. Aber das volle Maß des Mißverste-
hens der nördlichen Badesitten oder des Staunens über sie wird erst
erreicht, wenn ein *ganz* Fremder sie wahrnimmt. In Kiew hatte man
von den Schwitzbädern des Nordens doch wenigstens schon gehört.

Wenn man auch den Kopf schüttelte – man wußte, worum es sich handelt. Nur der *ganz* Fremde versteht gar nichts und hält die wohltuende »Reinigung« für eine qualvolle »Peinigung«. Dieser *ganz* Fremde durfte nicht ein Südrusse ein, sondern er mußte aus dem noch ferneren Süden kommen, das heißt aber: aus der Welt des Mittelmeers. Zum ersten Besucher des Nordens aus den Ländern des Mittelmeers aber war eben durch die Kiewer Andreaslegende der Apostel Andreas gemacht worden. Was war natürlicher, als daß nun auch die Anekdote von dem Mißverständnis der Dampfbäder durch einen Südländer und von dem, was er darüber in Rom erzählt hat, an seinen Namen geknüpft wurde?

So ist es nicht sinnloser Zufall, der dieses Fragment an die beiden anderen gefügt hat, sondern eine Art historiographische Denknotwendigkeit ist mit im Spiel. Die Anknüpfung ist zwar lose, aber doch irgendwie sinnvoll und nachvollziehbar.

Ich fasse zusammen. Die altrussische Andreaslegende ist nicht die raffinierte, tendenziöse Erfindung eines einzelnen, aber sie ist auch nicht ein sinnloses Geflecht dreier Fragmente. Das Bestreben, auch das russische Christentum in direkter Weise mit dem apostolischen Ursprung der Kirche zu verbinden, führt in Fortbildung der mittelbyzantinischen Andreaslegende gegen Ende des 11. Jahrhunderts zu der Meinung, daß der Apostel Andreas in Kiew gewesen sei. Die dieser Meinung entgegenstehenden Schwierigkeiten werden beseitigt durch die Annahme, daß der Apostel auf dem Weg nach Rom durch Rußland gekommen sei. Da er nunmehr als der erste Südländer im russischen Norden zu gelten hat, heftet sich die Anekdote von dem Mißverständnis der nordischen Dampfbäder durch einen Südländer an seinen Namen.

Daß diese Erzählung dann in die Chronik aufgenommen wurde, ist ganz natürlich. Der Chronist sammelt, was er über die Frühgeschichte Rußlands erfahren kann. Er hört auch die Überlieferung von der Reise des Apostels Andreas durch Rußland und trägt sie in sein Geschichtswerk ein. Er ist dabei vorsichtig und gewissenhaft genug, sie nicht nur nicht auszuschmücken, sondern sie mit einem kritisch zurückhaltenden »wie man sagt« einzuleiten.

Die Legende selbst ist zwar unhistorisch in ihrem Inhalt, aber erstaunlich zurückhaltend in ihren kirchlich-theologischen Aussa-

gen. Die Behauptung vom Aufenthalt des Apostels in Kiew und
Nówgorod führt zu keinen kirchenrechtlichen Fiktionen. Der
Apostel wird nicht als Gründer der russischen Kirche in Anspruch
genommen, sondern er segnet das Land nur und verheißt die
künftige Gnade. Der Verfasser der altrussischen Andreaslegende
weiß, daß die Apostolizität der Kirche auch in dem »Land ohne
Apostel« nicht durch kirchenrechtliche Fiktionen begründet werden muß, sondern daß sie gesichert ist durch die Tatsache, daß auch
hier »die Lehren der Apostel wie Posaunen in der Kirche ertönen«.

## DIE »RUSSEN« DES 9. UND DES FRÜHEN 10. JAHRHUNDERTS

Das Wort »Russen« ist in der Überschrift zu diesem Kapitel in
Anführungsstriche gesetzt, weil es in der jetzt zu behandelnden Zeit,
also im 9. Jahrhundert, und noch darüber hinaus, bis zur Mitte des
10. Jahrhunderts, etwas anderes bedeutete als späterhin. Aus griechischen, lateinischen, arabischen, aber auch aus slawischen Quellen,
besonders der altrussischen Nestorchronik, geht eindeutig hervor,
daß man in jener Zeit mit dem Namen »Russen« (griech. Ῥῶς, lat.
Rhos, slawisch Rus') die Schweden bezeichnete, die als »Ruderer«
(dies bedeutet der Name »Russen« ursprünglich) über die Ostsee
gekommen und in die großen Ströme Osteuropas hineingefahren
waren und nun entlang diesen Strömen Raub und Fernhandel
trieben. Zuerst waren es die in die Ostsee mündenden Ströme: die
Newa und die Düna; dann fanden die kühnen »Ruderer«, über kurze
Landbrücken hinweg, auf denen sie ihre Schiffe tragen oder schlep-
pen mußten, den Weg zu den noch viel größeren Strömen: der Wolga,
auf der sie ins Kaspische Meer gelangten, das sie mit der arabischen
Welt verband; dem Don, auf dem sie das Asowsche Meer und von
ihm aus die griechischen Siedlungen rings um das Schwarze Meer
erreichten; und schließlich über den Ilmensee zum Dnepr; dies
wurde dann der Hauptweg »von den Warägern zu den Griechen«,
von Schweden über Ládoga, Nówgorod, Kiew in das Zentrum des
griechisch-byzantinischen Reiches, nach Konstantinopel oder
»Zar'grad«, das heißt »Zarenstadt«, »Kaiserstadt«, wie die Slawen
die Stadt am Bosporus nannten.

Dafür, daß unter dem Wort »Rhos«, »Rus'« damals diese Schweden verstanden wurde, werden wir im folgenden mehrere unwiderlegliche Beweise finden. Sie seien im voraus kurz zusammengestellt. 1) In den »Annales Bertiniani« werden unter dem Jahr 839 Gesandte des Volkes »Rhos« genannt, die sich dann als »Schweden« (»sueones«) entpuppen. 2) Der byzantinische Kaiser Konstantin Porphyrogennetos beschreibt in seinem Buch »De administrando imperio« (»Über die Verwaltung des Reiches«) die Dnepr-Stromschnellen und nennt dann ihre Namen zuerst auf »russisch«, dann auf »slawisch«. Dabei zeigt sich, daß die »russischen« Namen ihrem sprachlichen Charakter nach schwedisch sind, die »slawischen« aber tatsächlich slawisch, genauer ostslawisch oder (nach der heutigen Bedeutung des Wortes »russisch«) altrussisch. 3) Die altrussische Nestorchronik berichtet unter dem Jahr 862, die in Nordwestrußland lebenden slawischen und finnischen Stämme hätten »über das Meer« [die Ostsee] »zu den Warägern [Schweden], zu den Russen« gesandt mit der Aufforderung: »Kommt, Fürst zu sein bei uns und über uns zu herrschen«, und der Chronist, der um 1100 schreibt, erklärt seinen Lesern, welche Bewandtnis es mit dem Namen »Russen« hat: »So hießen diese Waräger: ›Russen‹, wie andere [Waräger] ›Schweden‹ heißen, andere aber ›Normannen‹, ›Angeln‹, andere ›Goten‹, so auch diese.«[16]
Dem Chronisten ist also klar, was seinen Lesern offenbar nicht mehr ohne weiteres klar ist: daß »Russen« ursprünglich die Bezeichnung einer aus Schweden stammenden Bevölkerungsgruppe ist.
Nun ist aber interessant, daß »Rus'« oder »Rhos« nicht der Name war, mit der sich die Angehörigen dieser Volksgruppe selbst bezeichneten. Zwar hängt der Name wohl letztlich zusammen mit einem schwedischen Wort, das »Ruderer« heißt[17], aber die Form »Rus'« hat dieses Wort bei den Slawen erhalten; es ist in *dieser Form* ein Wort nicht der germanischen, schwedischen, sondern der slawischen, russischen Sprache, ebenso wie die Worte »tedesco« und »allemand« *in dieser* Form nicht Worte der deutschen, sondern der italienischen und der französischen Sprache sind, auch wenn sie letztlich auf deutsche Worte zurückgehen.
Gewiß haben die Griechen den Völkernamen Rhos von den »Russen«, d. h. Schweden, selbst übernommen. Daraus folgt aber,

daß die »Russen« mit den Griechen nicht in ihrer eigenen, der schwedischen, sondern in der slawischen Sprache verkehrt haben[18]. Das ist auch ganz natürlich. Die schwedischen »Russen« waren in den riesigen Räumen Osteuropas zwischen den slawischen Einwohnern Rußlands eine verhältnismäßig kleine Bevölkerungsgruppe, die für die Durchführung ihrer Raub- und Handelsunternehmungen und – späterhin – ihrer administrativen Tätigkeit notwendig auch die slawische Sprache der einheimischen Bevölkerung kennen mußte. Und andrerseits war den Griechen im 9. Jahrhundert das Schwedische eine völlig unbekannte Sprache, während ihnen das Slawische geläufig war, da die Sprachgrenze zwischen Griechisch und Slawisch damals nicht weit von Konstantinopel und unmittelbar bei Thessalonich (Saloniki), der Heimat der Slawenapostel Konstantin (Kyrill) und Method, verlief[19].

Die Verkehrssprache zwischen Griechen und schwedischen »Russen« und zwischen diesen »Russen« und den einheimischen Ostslawen dürfte also von Anfang an das Slawische gewesen sein. Nur untereinander werden die »Russen« ihre schwedische Sprache benutzt und deshalb auch den gefahrvollen Stromschnellen des Dnepr ihre eigenen Bezeichnungen gegeben haben. Aber auch dies nur 100–150 Jahre lang, bis etwa zur Mitte des 10. Jahrhunderts. Von dieser Zeit an ist die »russische« Bevölkerungsgruppe mit der einheimischen slawischen Bevölkerung verschmolzen; auch die Kinder der Fürsten bekommen von jetzt an slawische Namen oder, falls die traditionellen skandinavischen Namen noch verwendet werden, so werden sie in slawische Lautform gebracht. Seit dieser Zeit verschiebt sich dann auch die Bedeutung des Namens »Rus'«. Er bezeichnet nun nicht mehr die eingewanderte schwedische Bevölkerungsgruppe im Gegensatz zur einheimischen slawischen, sondern er bezeichnet die Bevölkerung des »Rus'-Reiches«, die in ihrer überwiegenden Mehrheit slawisch spricht (gemeinostslawisch oder altrussisch, russisch jetzt ohne Anführungsstriche). Aber der um 1100 schreibende Verfasser der Nestorchronik weiß, wie wir sahen, noch sehr wohl, was »Rus'« ursprünglich bedeutet hat.

Nur wenn auch wir es im Auge behalten, können wir die Zeugnisse, die uns von den ersten Berührungen der »Russen« mit dem Christentum berichten, richtig verstehen.

## »Russen« in Ingelheim am Rhein

Das erste schriftliche Zeugnis, das den Namen der »Russen« (in der Form »Rhos«) enthält, ist eine lateinisch geschriebene westfränkische Chronik aus dem 9. Jahrhundert, die sogenannten Annales Bertiniani, geschrieben von einem Zeitgenossen und wahrscheinlich sogar Augenzeugen des Ereignisses, das er beschreibt, dem Bischof Prudentius von Troyes (gestorben 861). Der Chronist erzählt, daß am 18. Mai 839 in der Kaiserpfalz zu Ingelheim am Rhein, wo sich Kaiser Ludwig der Fromme damals aufhielt, eine Gesandtschaft des byzantinischen Kaisers Theophilos eingetroffen sei, die von Kaiser Ludwig ehrenvoll empfangen worden sei. Man habe einen Brief überbracht und über Frieden und Freundschaft zwischen dem Kaiser des Ostens und dem des Westens und zwischen ihren Völkern gesprochen. Dann fährt der Chronist fort[20]:

Er [der byzantinische Kaiser] sandte mit ihnen [den griechischen Botschaftern] auch einige, die sagten, sie, das heißt ihr Volk, werde Rhos genannt; diese habe ihr König mit Namen Chacanus zu ihm [dem byzantinischen Kaiser] gesandt um Freundschaft willen, wie sie versicherten; und er [der byzantinische Kaiser] bat durch den erwähnten Brief, die Güte des [westlichen] Kaisers [Ludwig] möge ihnen die Möglichkeit der Rückkehr und Geleit durch sein ganzes Reich[21] geben; denn die Wege, auf denen sie nach Konstantinopel gekommen seien, hätten sie durch barbarische Völkerstämme von furchtbarer Wildheit geführt, und er wolle nicht, daß sie auf diesen Wegen zurückkehrten und dabei etwa in Gefahr gerieten. Als der Kaiser [Ludwig] den Grund ihrer Ankunft genauer untersuchte, stellte er fest, daß sie vom Volke der Schweden seien. Da er zu der Überzeugung kam, daß der Zweck ihrer Reise mehr darin bestand, jenes und unser Reich [das byzantinische und das fränkische] auszukundschaften als deren Freundschaft zu suchen, hielt er es für richtig, sie so lange bei sich zurückzuhalten, bis erwiesen wäre, ob sie in guter Absicht gekommen seien oder nicht. Und er [Ludwig] zögerte nicht, dies dem Theophilos durch die genannten Botschafter und durch einen Brief vertraulich mitzuteilen und daß er sie um der Liebe zu ihm [zu Theophilos] willen freundlich aufgenommen habe und daß er ihnen, wenn sie als zuverlässig befunden würden und es eine Möglichkeit gebe, daß sie ohne Gefahr ins Vaterland zurückreisen könnten, helfen und sie zurücksenden werde; wenn es sich aber anders erweise, so werde er sie, zusammen mit unseren Gesandten, wieder zu ihm [dem byzantinischen Kaiser] schicken, so daß dieser selbst entscheiden und ausführen möge, was mit ihnen zu geschehen habe.

So anschaulich und klar dieser Bericht des Bischofs Prudentius über den ersten Auftritt von »Russen« auf der Bühne der Weltgeschichte ist und so deutlich es auch ist, daß diese »Russen«, die aus Osteuropa über Konstantinopel nach Ingelheim gekommen sind, Schweden waren – zwei Fragen beantwortet unser Text nicht, die den Historiker interessieren: Woher genau diese »Russen« gekommen sind und was aus ihnen geworden ist. »Russen«, d. h. schwedische Krieger und Kaufleute gab es an vielen Orten Osteuropas: am Ladoga- und am Ilmensee, an der oberen Wolga, an der Mündung der Wolga ins Kaspische und an der Mündung des Don ins Asowsche Meer und gewiß auch schon am mittleren Dnepr, in der Gegend von Kiew. Aber das nördliche Rußland scheidet doch wohl aus. Allzu weit waren Ladoga- und Ilmensee und die obere Wolga von Konstantinopel entfernt, als daß es sinnvoll erscheinen könnte, daß ein »König« (lat. »rex«) von ihnen eine Gesandtschaft nach Konstantinopel hätte schicken sollen »amicitiae causa« – um Freundschaft zu schließen. Auch die Tatsache, daß dieser »König« »Chacanus« genannt wird, deutet auf den Süden des heutigen Rußland. Prudentius hielt dieses Wort offenbar für den Namen des »Königs« der »Rhos«. In Wirklichkeit ist es aber nicht ein Name, sondern ein Titel, der in der turkotatarischen Sprachgruppe den Fürsten oder Herrscher bezeichnet[22]. In der Nachbarschaft der damaligen »Russen« trugen ihn die Herrscher der Chasaren, die zu jener Zeit ein mächtiges Reich am Unterlauf der Wolga und Don aufgebaut hatten. Mit ihnen mußten die »Russen« sich arrangieren, wenn sie über das Kaspische und das Schwarze Meer Fernhandel mit der islamischen und griechischen Welt treiben wollten. Aber mit ihnen traten sie auch in Wettbewerb und Kampf, wenn sie im Süden

Rußlands eigene Machtpositionen aufbauen wollten. Nach dem
Bericht der Nestorchronik waren die slawischen Stämme im Gebiet
der heutigen Ukraine im 9. Jahrhundert den Chasaren tribut-
pflichtig, bis sie unter die Tributhoheit der vom Nordwesten her
vorstoßenden »Russen« kamen. Die neuen Herrscher über Kiew
waren also hier die Nachfolger der chasarischen »Kagane«, und sie
haben diesen Titel tatsächlich bis ins 11. Jahrhundert hinein
geführt[23]. Dagegen ist es wenig wahrscheinlich, daß »Russen« in
Nordrußland, am Ladoga- oder Ilmensee oder an der oberen Wolga
diesen dort unbekannten Titel übernommen hätten. So bleiben als
Ausgangspunkt der Gesandtschaft »des Volkes Rhos«, das einen
König mit Namen Chacanus (»rex Chacanus vocabulo«) hat, doch
vor allem zwei geographische Räume erwägenswert: der um das
Asowsche Meer und der am mittleren Dnepr. Aber die Reiseroute
vom Asowschen Meer nach Konstantinopel ging für die in der
Schiffahrt bewanderten »Russen« ohne Zweifel über das Meer, und
darum trifft die Beschreibung des Weges, auf dem die Gesandten
von ihrem Ausgangspunkt nach Konstantinopel gereist sind, nur auf
den Weg von Kiew her zu. Auch auf diesem Weg fuhr man zu Schiff:
zuerst den Dnepr hinab bis zu seiner Mündung und dann in
Küstennähe über das Schwarze Meer zum Bosporus. Aber an den
Stromschnellen des Dnepr mußten die Schiffe mehrfach verlassen,
an Land gezogen und über Land an den Stromschnellen vorüber-
geschleppt werden, und hier bot sich für »barbarische Völkerstämme von furchtbarer Wildheit« nun in der Tat glänzende
Gelegenheit, vorüberkommende Transporte in höchste »Gefahr
geraten« zu lassen. So spricht vieles dafür, daß die Gesandtschaft
der »Russen«, die 838 nach Konstantinopel gekommen ist, von Kiew
ausgegangen ist[24] und daß dies tatsächlich die erste Fühlungnahme
war, durch die die neuen »Kagane« von Kiew, die Herrscher über
den hier sich bildenden Großstaat, mit dem staatlichen und
kulturellen Zentrum der Großmacht am Schwarzen Meer, dem
byzantinischen Reich, in Verbindung treten wollten.
Ob sie dabei freilich allein »um der Freundschaft willen« (»amicitiae
causa«) gekommen sind, sei dahingestellt. Ludwig der Fromme hatte
guten Grund, mißtrauisch zu sein gegenüber diesen Gesandten »des
Volkes Rhos«, die aus dem fernen Osten kamen und sich plötzlich

als Schweden entpuppten. Seit dem Ende des 8. Jahrhunderts wurden die britischen Inseln, bald aber auch das Reich Karls des Großen von Raubüberfällen der skandinavischen Wikinger heimgesucht. 834, also nicht lange vor dem Eintreffen der »russischen« Gesandten in Ingelheim, waren das Loiregebiet und die friesische Küste von Normannen überfallen und Dorestad, die Hauptstadt Frieslands, eingenommen und geplündert worden[25]. Weitere Kriegszüge der Skandinavier waren zu erwarten. So kann man es verstehen, daß Ludwig genau prüfen lassen wollte, ob ihre wirkliche Aufgabe nicht darin bestand, die Länder auszukundschaften, die sie später überfallen wollten. Nun kamen die Normannen, die für Westeuropa gefährlich waren, vor allem aus Dänemark und Norwegen, während die Schweden im wesentlichen nach Osteuropa hin orientiert waren. Aber Vorsicht war gleichwohl geboten.

Was ist aus den Gesandten geworden? Nach dem Brief, den Ludwig der Fromme an den byzantinischen Kaiser geschrieben hat, erscheint es ausgeschlossen, daß er sie als Spione auf die Dauer zurückgehalten hat oder sie gar hat hinrichten lassen. Denn er sagt ja ausdrücklich: Wenn sie sich als »zuverlässig« (»fideliter«) erweisen, will er sie in ihre Heimat, wenn nicht, so will er sie nach Konstantinopel zurückschicken. Er konnte sie nicht anders behandeln, da sie ja mit einer byzantinischen Gesandtschaft gekommen waren und somit unter dem Schutz des byzantinischen Kaisers standen.

Ob er nun so oder so verfahren ist – wir dürfen annehmen, daß die Gesandten entweder von Ingelheim oder von Konstantinopel aus den Heimweg zu ihrem »König mit Namen Chacanus« angetreten haben; falls von Ingelheim aus, so brauchten sie vielleicht gar nicht den riesigen Umweg über Schweden nach Kiew zu machen, sondern können auf der Handelsstraße vom Rhein über Regensburg zurückgekehrt sein[26].

Aber noch einmal: Was war der Zweck ihrer Reise? Der byzantinische Kaiser schreibt, sie seien »um Freundschaft willen« (»amicitiae causa«) gekommen; aber er schreibt nichts vom Abschluß eines Vertrages. Auch was wir später, aus Anlaß des Überfalls der »Russen« auf Konstantinopel im Jahr 860, von den »russisch«-byzantinischen Beziehungen hören, deutet nicht darauf, daß vor 860 ein Freundschaftsvertrag mit ihnen geschlossen worden wäre. Und so war der Sinn der Gesandtschaft doch wohl in der Tat, wenn nicht gerade ein Auskundschaften (»explorare«), so doch ein Erkunden des griechischen (und vielleicht auch des westlichen) Kaiserreiches. Man kann sogar vermuten, daß der Umweg von Konstantinopel über Ingelheim zurück nach Kiew letztlich auf die russischen Gesandten selbst zurückgeht, daß sie es aber verstanden haben, diese Idee dem byzantinischen Kaiser so nahezubringen, daß er schließlich meinte, er sei selbst darauf verfallen. Vielleicht hatte man in Kiew Interesse daran, jenen doppelten Romweg einmal zu erkunden, auf den die spätere Legende dann den Apostel Andreas geschickt hat.

Wie dem auch sei – wir dürfen annehmen, daß die »russischen« »Botschafter« (oder Kundschafter) auf dem einen oder anderen Weg nach Kiew zurückgekehrt sind, falls ihnen nicht unterwegs ein Unglück zugestoßen ist, was natürlich durchaus möglich ist. Und wenn sie zurückgekehrt sind, werden sie dort nicht nur von der Schönheit und dem Reichtum Konstantinopels berichtet haben, von seinem Hafen und den Schiffen und den Stadtmauern und dem Kaiserpalast, sondern auch von den Kirchen und von der Religion der Griechen. Denn es gehörte zur missionarischen Praxis der Griechen, daß sie fremdgläubigen Gesandten die Schönheit ihres Kults zeigten und sie über die Grundlehren des orthodoxen Christentums unterrichteten.

Die Nestorchronik beschreibt dies an einer etwas späteren Stelle, unter dem Jahre 912; aber was dort geschildert wird, gilt ohne Zweifel auch schon für diese erste Gesandtschaft, die von den »Russen« zum byzantinischen Kaiser kam. Es heißt dort[27]:

Der Zar Leo ehrte die russischen Gesandten durch Geschenke, durch Gold und edle Tuche und Goldbrokat, und er gab ihnen einen seiner Männer bei, ihnen die Schönheit der Kirche zu zeigen und die goldene Schatzkammer und den Reichtum darinnen: viel Gold und edle Tuche und Edelgestein und die Leiden des Herrn: die [Dornen-]Krone und die Nägel und den Purpurmantel und die Reliquien der Heiligen, und er belehrte sie [, um sie] zu seinem Glauben [zu bekehren,] und wies ihnen den wahren Glauben, und so entließ er sie in ihr Land mit großer Ehre.

So wird bei dieser ersten offiziellen Berührung zwischen Kiew und
Konstantinopel auch zum erstenmal sichere Kunde vom Glauben
der Griechen, vom orthodoxen Christentum nach Kiew gedrungen
sein.

Die Ereignisse der folgenden Jahrzehnte haben freilich gezeigt, daß
für die »Russen« in Kiew Konstantinopel zunächst mehr als
lohnendes Ziel eines gewaltigen Beutezuges von Interesse war denn
als Ausgangspunkt ihrer Bekehrung zum Christentum.

## RAUBÜBERFÄLLE AUF GRIECHISCHE STÄDTE UND ERSTE BEKEHRUNGEN

### 1. Amástris

Für die folgenden Jahrzehnte (von etwa 840 bis 860) haben wir
einige verstreute Nachrichten über nicht genau datierbare Raubüberfälle von »Russen« auf die Städte Amástris (heute Amasra) am
südlichen Ufer des Schwarzen Meeres und Ssúrosh (griech. Sugdáia)
auf der Krim. Beide Nachrichten sind in Heiligenviten enthalten.
In solchen Viten wird das Leben der Heiligen oft stark stilisiert, und
manche Viten haben deswegen geringen historischen Wert[28]. Aber
den eigentlichen Viten sind oft Berichte über Wunder hinzugefügt,
die an den Reliquien der Heiligen geschehen sind. Diese Wundererzählungen haben oft größeren historischen Wert als die Viten
selbst. Denn die Viten sind naturgemäß immer nach dem Tode der
Heiligen geschrieben und schon unter der Voraussetzung, daß der
in der Vita geschilderte Mensch ein Heiliger war. Alle Fakten seines
Lebens werden unter diesem Gesichtspunkt betrachtet und von hier
aus stilisiert. Anders die Erzählungen über die postumen Wunder.
Sie wurden oft unmittelbar nach den geschilderten Ereignissen
aufgezeichnet, und zwar häufig von den Klerikern der Kirche, in
der die Reliquien der Heiligen lagen. Dem Klerus lag daran, eine
möglichst große Zahl solcher Wundergeschichten zu sammeln, und
oft haben diese Aufzeichnungen protokollarischen Charakter. Sie
dienten im Prozeß der Heiligsprechung (Kanonisierung) als Beweis-
stücke für die Heiligkeit dessen, der kanonisiert werden sollte.
Wenn keine Wunder geschahen, so war die Heiligsprechung nicht

möglich oder jedenfalls sehr schwierig. Der Bischof, der die Kanonisierung durchführte, hatte die Wunderberichte auf ihre Glaubwürdigkeit hin zu überprüfen. So hatten die Erzählungen über Wunder – besonders solche, die vor der Kanonisierung geschahen – juristische, kirchenrechtliche Bedeutung. Erzählungen über Wunder, die nach der Kanonisierung geschahen, dienten der Verbreitung des Kultes des betreffenden Heiligen. Bei ihnen kam es nicht mehr so stark auf protokollarische Genauigkeit an, aber oft haben auch sie ein bedeutendes historisches Interesse. Bei den beiden Wundererzählungen, die über Raubüberfälle der »Russen« im 9. Jahrhundert berichten, handelt es sich um solche der zweiten Art. Sie sind niedergeschrieben, als die beiden Heiligen schon kanonisiert waren. Der historische Wert ist deswegen nicht allzu groß, aber sie besitzen doch ein gewisses Interesse für die Vorgeschichte der Taufe Rußlands. Da sie schwer zugänglich sind, seien sie in vollständiger Übersetzung angeführt.

Georgios war Bischof von Amastris[29], einer wirtschaftlich und kulturell wichtigen Hafenstadt am Südufer des Schwarzen Meeres, gewesen, und er war im ersten Jahrzehnt des 9. Jahrhunderts (802–807), also etwa 30–50 Jahre vor dem hier geschilderten Ereignis, gestorben und war inzwischen zum »legendären Lokalheiligen« seiner Stadt geworden (H. G. Beck). Die Vita, der die folgende Erzählung entnommen ist, ist auch nicht genau zu datieren. Sie dürfte frühestens um 842, spätestens um 870 entstanden sein.

Das Kapitel, das vom Überfall der »Russen« auf die Stadt Amastris erzählt, lautet in Übersetzung (aus dem Griechischen)[30]:

Das aber, was nun folgt, ist überaus erstaunlich. Es geschah ein Überfall von Barbaren, von der Rhos, einem Volk, das, wie alle wissen, überaus roh und hart ist und keine Spur von Menschlichkeit besitzt; tierisch wild an Sitten, unmenschlich an Werken, offenbaren sie schon durch ihren Anblick ihre Mordlust; über keines der Dinge, die den Menschen natürlich sind, freuen sie sich so wie über Blutvergießen. Dieses [Volk], verderbenbringend in Wirklichkeit und dem Namen nach, begann das Zerstörungswerk in der Propontis[31], setzte es fort an dem anderen Meeresufer und gelangte auch bis zum Vaterland des Heiligen [Georgios]; scho-

nungslos niederhauend jedes Geschlecht und jedes Alter, der
Alten sich nicht erbarmend, die kleinen Kinder nicht übersehend,
sondern gegen alle in gleicher Weise die blutbefleckte Hand
wappnend, eilte es, das Verderben so weit zu verbreiten, wie es
konnte. Zerstörte Kirchen, entweihte Heiligtümer; an ihrer Stelle
[heidnische] Altäre, ungesetzliche Trank- und Schlachtopfer;
erneuert von ihnen jener Fremdenmord, der auf Taurus von alters
her üblich war[32]; hingeschlachtet Jungfrauen, Männer und Frauen;
keiner war da, der geholfen, keiner, der sich ihnen entgegengestellt
hätte; Wiesen und Quellen und Bäume werden verehrt; die Vor-
sehung von oben her es zulassend, vielleicht deswegen, weil die
Bosheit [bei uns] überhand genommen hatte, wie wir ja aus der
Schrift wissen, daß Israel solches oft hat erfahren müssen.
Der gute Hirte[33] war nun nicht mit seinem Leibe anwesend, aber
er war bei Gott mit seinem Geiste, und, da er ihm von Angesicht
zu Angesicht nahe und eingeweiht war in sein unausforschliches
Gericht, unterließ er die Fürbitte und schob die Hilfe auf. Aber
schließlich hielt er es nicht aus, [die Not] zu übersehen, und tat
auch hier ein Wunder, das nicht geringer war als die anderen.
Denn als die Barbaren in das Heiligtum hereinkamen und das
Grabmal erblickten, vermuteten sie, es sei ein Schatz, wie es ja
auch wirklich ein Schatz war; und als sie daraufzu stürzten, es
aufzugraben, sah man plötzlich, daß sie gelähmt waren an
Händen, gelähmt an Füßen; und gebunden von unsichtbaren
Fesseln verblieben sie ganz unbeweglich, erbarmungswürdig, voll
von Entsetzen und Furcht, daß sie nichts anderes tun konnten,
als die Stimme erheben.
Ihr Anführer aber, als er das Erstaunliche dieses Geschehens sah,
wurde erfüllt von Furcht und Bestürzung. Und er ließ einen von
denen, die in die Gefangenschaft abgeführt worden waren[34],
heranführen und erkundete von ihm, was dies für ein Geschehen
sei, und von welchem Gott eine solche Kraftwirkung ausgehe,
und was es sei, das dort vergraben sei, und auf welche Weise den
Soldaten dies zugestoßen sei. Der sagt: »Dies ist die Kraftwirkung des Gottes, der dies Weltall aus dem Nichtsein ins Sein
geführt hat, der tut, was er will, dem niemand widersprechen
kann, weder ein Kaiser noch ein Tyrann noch ein Fürst, weder

ein Barbar noch irgend jemand, den du nennen könntest, noch ein ganzes Volk; denn durch ihn herrschen die Kaiser und haben die Tyrannen ihre Herrschaftsgewalt auf Erden.« – »Wie denn?« sagt der Barbar, »bringen wir denn nicht Tag für Tag den Göttern Opfer dar, indem wir an Altären opfern und Trankopfer spenden?« – »Aber, o Mensch[35], es sind gar nicht wahre Götter, denen ihr Trankopfer spendet, und unser Gott freut sich nicht über solche Opfer; denn da er über alles herrscht, bedarf er keines Dinges.« – »Und gibt es ein anderes Opfer«, sagt jener, »welches euer Gott liebt? Und wieso bedarf er keines Dinges, wenn er eines solchen [d. h. eines anderen, als wir es darbringen] bedarf?« – »Er bedarf zwar, o Mensch[35], selbst keines Dinges, aber da er selbst gut ist, hat er Wohlgefallen an guten Taten, die ihm dargebracht werden aus reiner Gesinnung. Wer aber vor ihm als rein erschienen ist durch gute Werke, dieser wird von ihm sowohl im Leben wie auch nach dem Tode größter Ehre gewürdigt.« – »Und welches ist diese Ehre?« sagt er. – »Darin besteht sie«, antwortet er, »daß er [Gott] alles vollbringt, was sie wünschen in seinem Namen, und daß er wohltut denen, die sie [d. h. die Verehrer des wahren Gottes] ehren, und abwehrt die, die versuchen, sie zu verunehren. Deswegen auch, wie du siehst, deine Soldaten, die sich erkühnt haben, dieses Grabmal aufzugraben – weil es ein Frevel war, mit den Händen unfrommer Barbaren dem nachzuspüren, der hier liegt – deswegen hat er durch den Freimut, den er bei Gott hat, deren Hände und Füße gebunden. Und wenn du erkennen willst, ob es sich in Wahrheit so verhält, dann bring diesem Geschenke dar und mach ihn durch uns, die Christen, geneigt, und dann werden die Männer befreit werden von den Schmerzen, die sie jetzt leiden müssen.« – »Und über was für Geschenke«, sagt er, »freut dieser sich, und welche nimmt er an?« – »Öl«, antwortete er, »und Wachskerzen; denn so pflegen die Christen zu tun; und den Gefangenen die Freiheit schenken, und den Kirchen Ehrfurcht erzeigen. Wenn du dies alles tun und halten willst, wirst du sehen, daß deine Soldaten wieder kräftig sein werden wie zuvor.«

Hierüber bestürzt, versprach der Barbar, alles aufs schnellste zu tun. Er gab den Christen Freiheit und die Erlaubnis, frei zu reden, und befahl ihnen Fürbitte bei Gott und bei dem Heiligen. Und nun gibt es aufwendigen Lichterglanz und Gottesdienst die ganze Nacht hindurch und Psalmengesang, und die Barbaren werden befreit von dem von Gott verhängten Zorngericht, und es kommt zu einer gewissen Versöhnung und Herstellung geordneter Beziehungen dieser [Barbaren] gegenüber den Christen. Und sie trieben keinen Übermut mehr gegenüber den Heiligtümern, sie machten sich nicht mehr lustig über die Altäre Gottes, sie raubten nicht mehr mit unfrommen Händen heilige Kleinodien, nicht mehr wurden die Kirchen durch Blut befleckt; sondern ein einziges Grab war genug, die Unsinnigkeit der Barbaren zu widerlegen, die viele Befleckung durch Mord zu beenden, die tierische Wildheit zu besänftigen und diejenigen, die ungezähmter waren als Wölfe, zur Zahmheit von Schafen zu führen, diejenigen, die Haine und Wiesen verehrten, zur Ehrfurcht vor den Tempeln Gottes zu bringen.

Vieles an dieser Erzählung ist gewiß legendär. Die Gespräche sind, wie fast überall in der Literatur der Antike und des Mittelalters, vom Erzähler frei gestaltet, ebenso die Einzelheiten der Handlung. Aber als geschichtlicher Kern bleibt die Tatsache des Überfalls »russischer« Krieger auf eine bedeutende Stadt am Südufer des Schwarzen Meeres; daß bei solchen Überfällen die Kirchen geplündert wurden, versteht sich von selbst, da die Plünderer in ihnen mit Recht Kostbarkeiten, vor allem Kunstwerke aus Edelmetall, vermuteten; daß die heidnischen Krieger bei solcher Gelegenheit manchmal Angst vor der Macht der fremden Gottheit, in deren Bereich sie eingebrochen waren, empfanden, ist sehr wahrscheinlich, und solche Angst war die Voraussetzung für Geschehnisse der Art, wie sie hier, nun freilich in hagiographischer Stilisierung, beschrieben sind. Die »russischen« Krieger, die auf ihren Plünderungszügen mit der christlichen Religion und mit der christlich geprägten griechischen Kultur in intensive Berührung kamen, haben dabei – das veranschaulicht unsere Geschichte – nicht nur die Höhe dieser Kultur, sondern auch die Überlegenheit der ihr zugrunde liegenden Religion zu spüren bekommen.
Vielleicht spiegelt sich in dieser Erzählung auch schon die viel

weitergehende Berührung zwischen den »Russen« und dem byzantinischen Christentum, die nach dem Angriff der »Russen« auf Konstantinopel im Jahre 860 dazu geführt hat, daß die Angreifer bald nach 860 sich haben taufen lassen. Manche Forscher halten die Amastris-Ereignisse, die wir ja nicht genau datieren können, sogar für eine Episode des Feldzuges von 860[36].

## 2. Ssúrosh

Ähnlich in ihrem Inhalt und in dem der legendären Erzählung zugrunde liegenden historischen Kern ist eine Episode aus der Vita des heiligen Stephan von Ssúrosh. Ssúrosh, griechisch Súgdanon, Súgdianon, Súgdeia, Sugdaia, arabisch Sughdaq, heute Ssudák, ein Kurort am Südostufer der Krim, etwa auf halbem Weg zwischen Jálta und Feodóssija, war im 9. Jahrhundert eine Hafen-, Handels- und Industriestadt mit gemischtsprachiger (griechischer, chasarischer und anderer) Bevölkerung. Die hier hergestellte Keramik wurde auch nach Rußland ausgeführt, bis in das Gebiet des oberen Dnepr. So wird Ssúrosh den »Russen« bis nach Kiew und Ssmolénsk hinauf wohl bekannt gewesen sein[37].

Der Lokalheilige von Ssúrosh war Stephanos, der unter dem bilderfeindlichen Kaiser Konstantin V. (741–775) aus dem Herrschaftsbereich des byzantinischen Kaisers geflohen war und hier, in dem unter chasarischer Oberhoheit stehenden Ssúrosh, Zuflucht gefunden und das Christentum verbreitet hatte und Bischof der Stadt geworden war.

Über ihn ist aufgrund einer nicht vollständig erhaltenen griechischen Vita aus dem 9. Jahrhundert im 15. Jahrhundert eine Vita in russisch-kirchenslawischer Sprache geschrieben worden. Sie ist also verhältnismäßig spät, 600–700 Jahre nach den in ihr geschilderten Ereignissen, entstanden und darum von zweifelhaftem historischen Wert. Aber die Erzählung über den Überfall der »Russen« auf Ssúrosh scheint in ihrem Grundbestand auf die ältere griechische Vita zurückzugehen und darum in ihrem Kern glaubwürdig zu sein. Sie berichtet[38]:

Als aber nach dem Tod des Heiligen wenige Jahre vergangen waren, kam ein großes russisches Heer aus Nówgorod, Fürst Brawlin, sehr stark. Er verheerte das Land von Kórssun' bis nach Kertsch[39]. Mit großer Heeresmacht kam er nach Ssúrosh. Zehn Tage lang kämpften sie erbittert miteinander, und nach zehn Tagen zog Brawlin in die Stadt ein, nachdem er das eiserne Tor mit Gewalt zerbrochen hatte. Und er nahm sein Schwert und ging in die Kirche, in die heilige Sophia, und zerschlug die Tür und ging hinein, wo das Grab des Heiligen ist und auf dem Grab Zarenkleidung und Perlen und Gold und Edelstein und goldene Weihrauchfässer und viele goldene Geräte; alles raubten sie. Und zu der Zeit erkrankte er. Sein Gesicht wurde rückwärts gedreht, und er lag, und Schaum floß aus seinem Munde, und er schrie und sagte: »Ein großer heiliger Mensch ist hier, und er hat mich aufs Gesicht geschlagen und mein Gesicht zurückgedreht.« Und der Fürst sagte zu seinen Bojaren[40]: »Gebt alles zurück, was ihr genommen habt!« Sie aber gaben alles zurück, und sie wollten auch den Fürsten von dort wegnehmen. Der Fürst aber schrie und sprach: »Laßt mich, daß ich liege; denn ein alter heiliger Mann wird mich [sonst] zerbrechen. Er hat mich gedrängt, und meine Seele will mir entfliehen.« Und er sagte zu ihnen: »Jagt schnell das Heer aus dieser Stadt. Und daß das Heer nichts wegnimmt!« Und es ging aus der Stadt hinaus, aber er konnte noch immer nicht aufstehen, bis der Fürst von neuem zu seinen Bojaren sagte: »Gebt alles zurück, was wir geraubt haben: heilige Gefäße aus den Kirchen in Kórssun' und in Kertsch und überall, und bringt alles hierher, und legt es nieder, auf dem Grab Stephans!« Sie aber gaben alles zurück und behielten nichts für sich, sondern alles brachten sie herbei und legten es nieder am Grabe des heiligen Stephan. Und wieder hatte der Fürst ein Gesicht: Der heilige Stephan sagte zu ihm: »Wenn du dich nicht taufen läßt in meiner Kirche, wirst du nicht heimkehren und nicht von hier herauskommen.« Und der Fürst schrie und sprach: »Priester sollen kommen und mich taufen! Wenn ich aufstehen und wenn mein Gesicht sich zurückwenden kann, lasse ich mich taufen.« Und es kamen Priester und der Erzbischof Philaret, und sie hielten ein Gebet über dem Fürsten. Und sie tauften ihn im Namen des Vaters und des Sohnes

und des Heiligen Geistes. Und sein Gesicht wandte sich wieder.
Es ließen sich auch alle Bojaren taufen. Aber noch schmerzte sein
Hals. Die Priester aber sagten zum Fürsten: »Tu Gott ein Gelübde:
Soviel Gefangene du gemacht hast von Kórssun' bis nach Kertsch
– Männer und Frauen und Kinder –, laß sie alle zurückkehren!«
Da befahl es der Fürst all den Seinen. Sie entließen sie alle, jeden
in seine Heimat. Eine Woche lang [oder: den ganzen Sonntag] aber
ging er nicht hinaus aus der Kirche, bis er dem heiligen Stephan
ein großes Geschenk gemacht hatte. Und nachdem er der Stadt und
ihren Einwohnern und den Priestern Ehre erwiesen hatte, ging er
fort. Und als andere Krieger das hörten, wagten sie nicht, [die Stadt
Ssúrosh] anzugreifen; wenn aber einer angriff, so mußte er mit
Schande bedeckt wieder abziehen.

Historisch vertrauenswürdig an dieser Erzählung ist das, was auf die
griechische Vita des 9. Jahrhunderts zurückgehen kann. Der Name
der Stadt Nówgorod gehört wohl nicht dazu. Er dürfte vom Verfasser
der kirchenslawischen Vita des 15. Jahrhunderts hinzugefügt sein.
Den Griechen des 9. Jahrhunderts war Nówgorod nicht bekannt.
Der Raubzug der »Russen« muß von einem Ort ausgegangen sein,
von dem aus das Schwarze Meer auf Schiffen zu erreichen war, am
ehesten vom mittleren Dnepr oder vom Asowschen Meer.
Mehr Vertrauen verdient der Name des »russischen« Fürsten
Brawlin[41]. Hätte der russische Vitenschreiber des 15. Jahrhunderts
sich den Namen ausgedacht, so hätte er wohl eher einen solchen
Namen genommen, der ihm aus der älteren russischen Literatur
bekannt war. »Brawlin« aber kommt sonst nicht vor, und der Name
ist aus dem germanischen Wort für »Augenbraue« (althochdeutsch
»brāwa«) gut erklärbar. Falls nun tatsächlich der Name des
»russischen« Fürsten in der griechischen Vita enthalten war,
gewinnt die Behauptung, daß er Christ geworden sei, eine gewisse
Wahrscheinlichkeit. Wie dem auch sei – als historischer Kern der
legendären Erzählung bleibt übrig, daß ein »russisches« Heer auch
die Küste der Krim heimgesucht und geplündert hat und daß die
Russen bei dieser Gelegenheit die griechische Kultur und die
griechische Religion – das Christentum in seiner östlich-orthodoxen
Ausprägung – kennengelernt und vielleicht manchmal die Überlegenheit der christlichen Religion gespürt haben.

## Der Überfall der »Russen« auf Konstantinopel im Jahre 860

Ihren Höhepunkt erreichen die ersten kriegerischen und gleichzeitig missionarischen Kontakte der »Russen« mit Byzanz durch den überraschenden Überfall, den eine große russische Flotte am 16. Juni 860 auf Konstantinopel ausübte.

Während die Überfälle auf Amástris und Ssúrosh im Halbdunkel einer legendären Überlieferung bleiben, fällt auf den versuchten Handstreich von 860 das helle Licht zuverlässiger historischer Quellen.

Die früheste und zuverlässigste dieser Quellen ist nahezu gleichzeitig mit dem Überfall entstanden. Es ist eine Predigt, die der damalige Patriarch von Konstantinopel, Phótios, wenige Tage nach Beginn der Belagerung an die verängstigte Bevölkerung der belagerten Stadt gehalten hat. Photios, im Westen lange Zeit mißachtet als heftiger Gegner des universalen Jurisdiktionsanspruches der römischen Päpste und betrachtet als einer der Urheber der Kirchenspaltung zwischen der östlichen und der westlichen Kirche, wird heute, besonders seit den Forschungen des katholischen Gelehrten Francis Dvornik[42], auch von katholischer Seite sehr viel positiver beurteilt[43].

Photios war nicht nur »der bedeutendste Geist, der hervorragendste Politiker und geschickteste Diplomat, der das Patriarchenamt in Konstantinopel jemals bekleidet hat«[44], sondern auch ein großartiger Prediger. Davon zeugen auch die zwei Predigten, die er aus Anlaß des Überfalls der »Russen« auf Konstantinopel gehalten hat, die erste während der Belagerung der Stadt, die zweite nach dem überraschenden Abzug der »Russen«[45].

Eine sehr knappe Nachricht aus einer griechischen Chronik des 11. Jahrhunderts, die aber offenbar auf viel ältere Aufzeichnungen zurückgeht, gibt uns das genaue Datum des Überfalls der »Russen«. Sie lautet[46]:

> Michael, der Sohn des Theophilos, regierte zusammen mit seiner Mutter Theodora 4 Jahre und allein 10 Jahre und zusammen mit Basileios ein Jahr und 4 Monate[47]. Als er Kaiser war, kamen am 18. Juni, im 8. Jahr der Indiktion, im Jahre 6368, dem 5. Jahr seiner

Herrschaft, »Russen« (Rhōs) mit 200 Schiffen, welche durch die Fürbitten der allgepriesenen Gottesmutter von den Christen überwunden und mit Gewalt besiegt wurden und verschwanden.«

Der Überfall war für Konstantinopel um so gefährlicher, als der Kaiser Michael mit dem Heer abwesend war; er befand sich auf einem Feldzug gegen die Araber, die seit mehr als 200 Jahren die gefährlichsten Feinde des byzantinischen Reiches waren. Welchen Schrecken der Überfall in der von Truppen entblößten Stadt hervorrief, macht die Predigt des Photios deutlich, die er vielleicht am ersten Sonntag der Belagerung, am 23. Juni 860, gehalten hat. Die Predigt beginnt[48]:

1. Was ist das? Was ist dies für ein schlimmer und schwerer Schlag und Zorn? Woher hat uns dieser nördliche und schreckliche Donnerkeil heimgesucht? Welche geballte Wolke von Leiden? Welche Verdammungsurteile [Gottes] haben sich allzustark aneinander gerieben und haben diesen unwiderstehlichen Blitz gegen uns herausgedrückt[49]? Von woher ist dieser barbarische und dichte Hagelsturm[50] auf uns herabgestürzt, der nicht Weizenhalme abschert und Ähren niederschlägt, nicht Ranken des Weinstocks peitscht und unreife Frucht zerstückelt, nicht die Stämme von Pflanzen schlägt und die Äste zerreißt (was für viele vielmals das Maß des äußersten Verderbens vollgemacht hat), sondern [ein Hagelsturm], der die Leiber der Menschen selbst jämmerlich zermahlt und das ganze Volk ins bittere Verderben stürzt?
2. Von woher oder wie ist die Hefe (um kein schlimmeres Wort zu gebrauchen) von so vielen und so großen Übeln über uns ausgegossen? [. . .]

Und nun legt der Patriarch seine Geschichtstheologie dar, die der des Alten Testaments nahe steht: Um unserer Sünden willen ist dies über uns gekommen, es ist ein Strafgericht Gottes. Wie oft hat Gott uns mit Wohltaten überschüttet, und wie undankbar waren wir ihm gegenüber, wie unbarmherzig zu unseren Mitmenschen!

6. Deswegen ist »Kriegsgeschrei im Lande und großer Jammer«[51]. Deswegen »hat der Herr seine Schatzkammer aufgetan

und hat herausgetragen die Waffen seines Zornes«[52]. Deswegen
»ist ein Volk herangekrochen von Norden her«[53], gleichsam
heranrückend gegen ein zweites Jerusalem[54], und »sind Völker
aufgestanden vom Ende der Erde, die Bogen und Speer führen.
Verwegen ist es und kennt kein Erbarmen; sie brausen daher wie
ein ungestümes Meer. Wir haben von ihnen gehört«[55], ja vielmehr
den Anblick ihrer Menge gesehen, und »unsere Hände wurden
gelähmt, und es wurde uns angst und weh wie einer Gebärenden.
Gehet nicht hinaus auf den Acker und schreitet nicht auf den
Wegen; denn ringsum lauert das Schwert«[56]. [. . .]

Wenn hier das Unglück noch mit Zitaten aus den Reden des
Propheten Jeremia umschrieben wird, so schildert Photios es im
folgenden genauer und mit eigenen Worten:

19.  Wehe mir, daß ich bisher bewahrt worden bin, so daß ich nun
dieses Unheil erleben muß, daß »wir unseren Nachbarn eine
Schmach geworden sind, ein Spott und Hohn denen, die um uns
sind«[57], daß der unglaubliche Überfall der Barbaren dem Gerücht
nicht Zeit gab, das Unheil anzukünden, so daß eine Sicherheits-
maßnahme hätte bedacht werden können, sondern das Sehen [der
Feinde] so schnell da war wie das Gerücht [über ihr Kommen]
und das Leiden [, das uns von ihnen zugefügt wurde] – und das
obwohl die, die gegen uns gezogen sind, von so weit her
gekommen und durch so viele Völker und Staaten und schiffbare
Flüsse und hafenlose Meere von uns getrennt sind.
20.  Wehe mir, daß ich sehen muß, wie ein rohes, wildes Volk sich
straflos rings um die Stadt ergießt und alles plündert, was vor der
Stadt ist, alles verdirbt, alles zerstört: Äcker, Häuser, Viehher-
den, Zugtiere, Frauen, Kinder, Greise, Jünglinge, alle mit dem
Schwert durchbohrend, niemandes sich erbarmend, niemanden
schonend. [. . .]
22.  [. . .] Wo ist jetzt der christusliebende Kaiser? Wo das Heer?
Wo sind die Waffen, die Maschinen, die Versammlungen des
Kriegsrates, die Zurüstungen? Hat nicht der Angriff anderer
Barbaren all dies auf sich gelenkt und an sich gezogen[58]?
23.  Der Kaiser besteht jenseits der Grenzen langdauernde
Mühen; mit ihm ist das Heer ausgezogen und erträgt mit ihm

Strapazen; uns aber zehrt auf Verderben und Mord, der über die einen schon gekommen ist, die anderen aber gerade überkommt.
23a. Dieses rohe und barbarische Volk der Skythen[59] aber ist hervorgekrochen aus den Außenbezirken der Stadt und hat ihre Umgebung abgeweidet wie ein wilder Eber[60]. Wer wird nun unser Vorkämpfer sein? Wer wird sich den Feinden entgegenstellen? Von allem sind wir entblößt, von allen Seiten her in größter Not. Welche Klage ist diesen Mißgeschicken angemessen? Welche Träne wird stark genug sein, der Größe des Unglücks zu entsprechen, das uns umgibt?
24. Komm her zu mir, du mitleidvollster unter den Propheten[61]! Klage mit mir über Jerusalem, nicht jenes alte, die Hauptstadt *eines* Volkes, das aus *einer* Wurzel zwölf Stämme hat aufsprießen lassen, sondern [die Hauptstadt] der ganzen bewohnten Erde[62], soweit die christliche Sitte glänzt, [die Stadt], die Herrscherin ist durch ihr Alter und ihre Schönheit und ihre Größe und ihren Glanz, durch die Fülle und den Wohlstand ihrer Einwohner. Klage mit mir über dieses Jerusalem, das noch nicht eingenommen und zu Boden gestürzt, aber nahe daran ist, eingenommen zu werden, und erschüttert von dem, was wir sehen. Klage mit mir über die Kaiserin unter den Städten, die noch nicht als Gefangene hinweggeführt wird, aber deren Hoffnung auf Rettung schon gefangen ist. [. . .]
27. O kaiserliche Stadt! Welch eine Menge von Übeln hat sich um dich ergossen! Sogar um die Kinder deines Schoßes, die sich vor der Stadt so glänzende Häuser gebaut hatten, haben die Tiefe des Meeres und der Mund des Feuers und des Schwertes gemäß dem Gesetz der Barbaren das Los geworfen und fressen sie auf[63]. Du, die gute Hoffnung von vielen[64], welch eine Drohung von Übeln und welche Menge von Schrecknissen, die dich rings umspült hat, hat deinen weit verbreiteten Ruhm erniedrigt!
28. O Stadt, die du Kaiserin bist fast über die gesamte bewohnte Erde, was für ein Heer ohne Heerführer[65] und mit einer Ausrüstung wie die von Sklaven verhöhnt dich wie eine Sklavin. O Stadt, prangend durch Beutestücke aus vielen Völkern, was für ein Volk hat jetzt den Gedanken gefaßt, dich als Beute wegzuführen! O du, die viele Siegesmäler aufgerichtet hat gegen

Feinde aus Europa und Asien und Libyen, wie hat nun eine barbarische und gemeine Hand einen Speer gegen dich geschleudert – [eine Hand, die] erhoben [worden ist], um den Sieg über dich als Siegesmal davonzutragen. [. . .]

Der Patriarch tröstet das erschütterte Volk; Gott kann helfen, wenn er will. Aber er will nur, wenn die Reue des Volkes echt und sein Wille zur Umkehr von Dauer ist. Ist dies der Fall, so setzt der Prediger selbst sich zum Bürgen für die Errettung. Er beendet seine Predigt mit der Aufforderung, die Zuhörer mögen sich betend an die Gottesmutter wenden:

38.  Im übrigen aber, Geliebte, ist jetzt die Zeit gekommen, hinzueilen zu der Mutter des WORTES, unserer einzigen Hoffnung und Zuflucht. Zu ihr laßt uns, sie ehrfurchtsvoll grüßend, rufen: »Rette deine Stadt, o Herrin, wie du es vermagst!«

39.  Sie laßt uns zur Mittlerin setzen bei ihrem Sohn und unserem Gott und zum Zeugen und Bürgen machen für das, was wir versprochen haben, und zur Überbringerin unserer Bitten und zu der, die die Menschenliebe dessen, den sie geboren hat, auf uns herabregnen läßt, die die Wolke der Feinde zerstreut und uns den Glanz der Rettung aufscheinen läßt. Mögen wir durch ihre Fürbitte gerettet werden aus dem gegenwärtigen Zorn, gerettet aber auch aus der künftigen und nie endenden Verurteilung [im Jüngsten Gericht], in Christus Jesus, unserem Herrn, dem Ruhm und Dank und Anbetung gebührt, zugleich mit dem Vater und dem Heiligen Geiste, jetzt und immerdar und von Ewigkeit zu Ewigkeit. Amen.

Manche Historiker haben sich unwillig über die Predigten des Photios geäußert: Sie seien reich an Worten, aber arm an konkreter Information. Aber »seine Absicht war nicht, Ereignisse aufzuzeichnen, die seinen Zuhörern nur allzu gut bekannt waren, sondern die, moralische und religiöse Lehren aus ihnen zu ziehen«[66]. Und bei aufmerksamem Lesen kann man schon dieser ersten Predigt nicht wenige und sehr wichtige Nachrichten entnehmen. Folgende Tatsachen werden von einem höchst kenntnisreichen Augenzeugen berichtet:

1) Der Überfall kam völlig überraschend (6). Die Feinde müssen auf Schiffen gekommen sein, die so schnell waren, daß die Nachricht über ihr Kommen ihnen nicht vorauseilen konnte, sozusagen mit Überschallgeschwindigkeit (19). Es ist nicht wahrscheinlich, daß sie vor dem Angriff auf Konstantinopel andere Städte, etwa Amastris, überfallen und geplündert hätten. Denn das hätte sie doch mindestens einen Tag aufgehalten, und es wäre Zeit gewesen, Nachricht nach Konstantinopel zu senden.

2) Die Angreifer kamen von Norden (6) und von weither. Zwischen ihrem Ausgangspunkt und Konstantinopel lagen die Herrschaftsgebiete anderer Völker (ethnarchiai), schiffbare Flüsse und hafenlose Meere (19). Diese Angaben treffen nicht zu, wenn die Angreifer vom Asowschen Meer her aufgebrochen wären, wohl aber, wenn Kiew der Ausgangspunkt war.

3) Die Absicht der Angreifer war offenbar, die Stadt nach Möglichkeit im Handstreich zu erobern. Vielleicht ist der Speerwurf (28) nicht nur ein Bild, sondern ein solcher symbolischer Speerwurf könnte das Zeichen zum Angriff gewesen sein.

4) Da die Angreifer die Stadt nicht im Handstreich nehmen können, setzen sie sich in den Außenbezirken der Stadt fest und schwärmen dann von hier aus in die weitere Umgebung aus, überall plündernd, brennend und mordend (23a, 27). Den Einwohnern von Konstantinopel, die an den Anblick eines einexerzierten, disziplinierten Heeres gewöhnt sind, erscheinen die Belagerer als eine führerlose Räuberbande (28).

5) Der Kaiser ist aus der Stadt abwesend, mit seinem Heer unterwegs gegen andere Feinde. Photios sagt sogar, er befinde sich »jenseits der Grenzen« des Reiches. Man hat mit Recht gesagt, daß Photios nicht genau wissen konnte, wo der Kaiser sich befand. Aber die Wendung besagt doch wohl, daß er über die Reichsgrenzen hinaus gegen die Araber ziehen wollte und daß er eine so erhebliche Strecke von Konstantinopel entfernt war, daß der Prediger mit seiner schnellen Rückkehr nicht rechnet (23). So scheint dem Redner die Einnahme der Stadt durch die Barbaren im Bereich des Möglichen zu liegen (29). Allerdings hat er die Hoffnung auf Rettung nicht aufgegeben (38 f.).

Wenige Wochen später, wahrscheinlich Anfang Juli 860[67], hat

Photios dann eine zweite Predigt gehalten, die uns erhalten ist. Die
äußere Situation hat sich gewandelt, die Gefahr ist vorübergegangen,
die Barbaren haben die Belagerung aufgegeben und sind abgezogen.
Der Patriarch ruft seinen Zuhörern die überstandenen Schrecken
noch einmal in Erinnerung, er bezeichnet sie noch einmal als Strafe
Gottes; die Errettung führt er darauf zurück, daß die Gottesmutter,
gerührt von der Reue und dem Flehen und den Versprechungen der
Gläubigen, Gott um Erbarmen angefleht habe, und er fordert sie
auf, nun, da die Gefahr vorüber sei, diese Versprechungen nicht zu
vergessen, weil sonst eine noch schlimmere Strafe Gottes folgen
werde.

Die zweite Predigt ergänzt das, was wir aus der ersten schon wissen.
Lebendig schildert Photios noch einmal das Entsetzen, das die
Einwohner Konstantinopels überfiel, als die feindliche Flotte vor
der Stadt erschien:

17. Erinnert ihr euch an das Getümmel und die Tränen und das
Geschrei, in das damals die ganze Stadt in letzter Verzweiflung
ausbrach? Wißt ihr noch – jene Nacht, finster und schrecklich,
als für uns alle der Kreislauf unseres Lebens zugleich mit dem
Kreislauf der Sonne unterzugehen und der Glanz unseres Lebens
in das tiefe Dunkel des Todes zu versinken schien?

18. Wißt ihr noch – jene Stunde, unerträglich und bitter, als die
Schiffe der Barbaren gegen euch heransegelten, Grausamkeit und
Wildheit und Mord schnaubend, als die Oberfläche des Meeres
heiter und ruhig dalag, ihnen eine sanfte und ihrem Wunsch
entsprechende Fahrt gewährend, gegen uns aber tobend, indem
es die Wogen des Krieges gegen uns wälzte; als sie an der Stadt
vorüberfuhren und uns die Männer sehen ließen, die mit
gezückten Schwertern an Bord standen und die Stadt gleichsam
mit dem Tod durchs Schwert bedrohten; als den Menschen jede
Hoffnung auf Menschen dahinschwand und der einzige Ret-
tungsanker der Stadt die Hoffnung auf die Gottheit war; als
Zittern und Dunkel den Verstand umfangen hielt und die Ohren
zu nichts anderem geöffnet waren als [zu dem Gerücht,] die
Barbaren seien innerhalb der Mauern und die Stadt sei von den
Feinden überwältigt.

Noch einmal betont der Patriarch in dieser zweiten Rede, daß das
Volk, das Konstantinopel so in Schrecken hat versetzen können, bis
dahin fast unbekannt war:

> 10. Ein noch kaum bemerktes Volk, ein nicht geachtetes Volk,
> ein Volk, unter die Sklaven gerechnet, unbekannt zuvor, das aber
> nun durch den Feldzug gegen uns sich einen Namen gemacht hat,
> unbedeutend zuvor, jetzt aber bedeutend geworden, niedrig und
> Mangel leidend zuvor, jetzt aber emporgestiegen zu glänzender
> Höhe und unermeßlichem Reichtum, ein Volk, irgendwo fern
> von uns wohnend, barbarisch, nomadisch, das seine Verwegen-
> heit auf Waffen gründet, das nicht zu bewachen, nicht zu
> überführen ist[68], ohne Heerführer – [dies Volk] hat sich so
> plötzlich, so in einem Augenblick wie eine Meereswoge über
> unsere Grenzen ergossen und wie ein wilder Eber das Gras und
> die Halme und die Feldfrucht so hat es die Einwohner des Landes
> verwüstet (oh, diese uns von Gott gesandte Strafe!), nichts
> schonend, vom Menschen bis zum Vieh.

Und nun schildert der Patriarch noch einmal die Greuel der
Verwüstung, die man offenbar erst jetzt, nach Abzug der Feinde,
wo man aus der Stadt hinausgehen und Spuren der verübten Greuel
an Ort und Stelle betrachten kann, in ihrer ganzen Furchtbarkeit
erkennt (10–13).

Völlig neu in der zweiten Rede ist dann aber der Bericht über den
Abzug des feindlichen Heeres. Photios schildert, wie die Bevölke-
rung der belagerten Stadt die Gottesmutter um Schutz anfleht und
dann mit der berühmtesten Reliquie der Stadt, dem Gewand der
Gottesmutter, das in der Blachernenkirche aufbewahrt wurde, eine
Prozession um die Stadtmauer macht:

> 22. Mit mir zusammen hat die ganze Stadt das Gewand [der
> Gottesmutter] zur Abwehr der Belagerer und zur Behütung der
> Belagerten in einer Bittprozession herumgetragen, und wir haben
> dabei eine Litanei gesungen. [. . .]
> 23. Dieses [Gewand] ging herum um die Mauern, und in
> unsagbarer Weise wandten die Feinde den Rücken. Die Stadt warf
> sich dieses Gewand um, und das befestigte Lager der Feinde löste
> sich wie auf Verabredung hin auf, die Stadt hüllte sich in es, und

die Feinde wurden der Hoffnung, auf der sie einherfuhren, entblößt. Denn in dem Augenblick, in dem das jungfräuliche Kleid die Mauer umschritten hatte, gaben die Barbaren die Belagerung auf und rüsteten zum Aufbruch, und wir wurden erlöst von der schon erwarteten Einnahme [der Stadt] und wurden gewürdigt einer unerwarteten Rettung. [. . .]
25. Unerwartet ist der Angriff der Feinde über uns gekommen, unverhofft war ihr Weggehen. Über alle Maße war der Unwille [Gottes], aber über alles Begreifen das Ende. Unsagbar war die Furcht vor ihnen, verachtenswert wurden sie durch ihre Flucht. Den Zorn [Gottes] hatten sie [auf ihrer Seite], der sie antrieb zum Überfall auf uns; die Menschenliebe Gottes haben wir gefunden, die ihren Ansturm aufhielt. [. . .]

Wieder fragen wir, was wir dieser Predigt an konkreten Nachrichten entnehmen können. Es ist folgendes:
1) Die »Russen« sind von allein und unter Mitnahme reicher Beute abgezogen; sonst könnte Photios nicht sagen, daß sie durch diesen Feldzug zu Ruhm und Reichtum gelangt seien (10).
2) Der Kaiser war im Augenblick des Abzugs noch nicht nach Konstantinopel zurückgekehrt; sonst könnte Photios nicht vollständig von ihm schweigen. Auch an der Prozession mit dem Gewand der Gottesmutter kann er nicht teilgenommen haben, sonst könnte der Patriarch nicht sagen: »Mit mir zusammen hat die ganze Stadt das Gewand herumgetragen.« Unmöglich kann er den Kaiser mitmeinen, wenn er sagt »die ganze Stadt«.
3) Aber nicht nur im Augenblick des Abzugs der feindlichen Truppen, sondern auch zu dem Zeitpunkt, als diese Rede gehalten wurde, war der Kaiser noch nicht wieder in Konstantinopel. Man müßte sonst mit Sicherheit eine Erwähnung seiner Rückkehr erwarten. Der Abzug der »Russen« kann also auch nicht dadurch erklärt werden, daß sie die unmittelbar bevorstehende Rückkehr des byzantinischen Heeres gefürchtet hätten. Offenbar sahen sie ein, daß sie die starken Mauern der Stadt nicht bezwingen konnten; mehr Beute, als sie schon gemacht hatten, war nicht zu erwarten; vielleicht waren sie auch nicht länger imstande, sich in der verwüsteten Gegend zu ernähren.

3) Photios betrachtet die Errettung als ein Wunder. Das Wunder liegt aber nur darin, daß die »Russen« in dem Augenblick zum Aufbruch rüsten, in dem die Prozession mit dem Gewand der Gottesmutter beendet ist.

Diese Auffassung vom Ablauf der Ereignisse hatte man in Konstantinopel noch etwa hundert Jahre später. In der Fortsetzung der Chronik des Theophanes (in der Forschung als »Theophanes continuatus« oder »Continuator Theophanis« bezeichnet), die wahrscheinlich in der Regierungszeit Konstantins VII. Porphyrogenetos (gestorben 959) entstanden ist, lautet der Bericht über die Ereignisse von 860 folgendermaßen[69]:

> Danach nun verwüstete ein Überfall der »Russen« [Rhōs], eines wilden und rohen skythischen Volkes, das Gebiet der Rhomäer [d. h. der byzantinischen Griechen]. Es verheerte den Pontos [das Gebiet am Schwarzen Meer], der wahrlich kein Gastfreundlicher war[70], und umzingelte die Stadt [Konstantinopel] selbst, während [der Kaiser] Michael damals gegen die Ismaeliten [= Hagarener, Araber] zu Felde gezogen war. Endlich aber, nachdem jene reichlichen Gebrauch gemacht hatten vom Zorne Gottes[71] und nachdem Photios, der damals das Steuer der Kirche in der Hand hielt, das göttliche Erbarmen erfleht hatte, fuhren sie nach Hause zurück. Und nach nicht langer Zeit erreichte eine Gesandtschaft von ihnen wiederum die herrschende Stadt [Konstantinopel]; diese [Gesandtschaft] bat darum, man möge sie [die Russen] der göttlichen Taufe teilhaft werden lassen, was auch geschah.

Der letzte Satz greift den hier geschilderten Ereignissen schon vor; wir werden später auf ihn zurückkommen. Im übrigen entspricht der Bericht genau dem, was wir den Predigten des Photios entnommen haben: Die »Russen« sind ungezwungen und ungehindert abgezogen. Der Kaiser war während der Belagerung und zum Zeitpunkt des Abzuges der Feinde nicht in Konstantinopel. Der Erfolg der Feinde ist auf den Zorn Gottes, ihr Abzug auf sein Erbarmen zurückzuführen. Insofern ist er ein Wunder. Aber von einem besonderen, wunderhaften Ereignis ist nicht die Rede.

Man hat fast den Eindruck, der griechische Chronist, der fast hundert Jahre nach den von ihm geschilderten Ereignissen schreibt, hat als Quelle seiner Darstellung nichts weiter als die auch von uns benutzten Predigten des Photios, und er versteht sie so, wie wir sie verstehen.

Nur in *einem* Punkt geht er über Photios hinaus oder widerspricht ihm geradezu: mit der Nachricht, die »Russen« hätten vor dem Überfall auf Konstantinopel die Küsten des Schwarzen Meeres verheert. Photios widerspricht dem insofern, als er mit Nachdruck betont, daß der Überfall für die Bevölkerung von Konstantinopel völlig überraschend gekommen sei. In der Tat konnten die »Russen« wohl nur dann hoffen, Konstantinopel im Handstreich zu nehmen, wenn sie überraschend kamen. Mir scheint, diese Nachricht des Theophanes continuatus widerspricht nicht nur dem, was wir von Photios erfahren, sondern sie widerspricht auch jeder Wahrscheinlichkeit. Vielleicht hat der Chronist Nachrichten wie die, die wir aus der Vita des Georgios von Amastris kennen, mit der über den Angriff auf Konstantinopel in freier Weise kombiniert.

In das russische Geschichtsbewußtsein sind diese Ereignisse in etwas anderer Form eingegangen, nämlich so, wie die altrussische Nestorchronik, deren uns vorliegende Fassung in den Jahren 1113–1116 in Kiew entstanden ist, über sie berichtet. Da heißt es in dem Artikel über das Jahr 6374 »nach Erschaffung der Welt« (= 865/66 nach der Geburt Christi) folgendermaßen[72]:

Im Jahre 6374. Es zogen Askold und Dir[73] gegen die Griechen und kamen [dorthin] im 14. Jahr des Kaisers Michael[74]. Der Kaiser aber war fortgezogen, gegen die Hagarener[75]. Und als er bis zum Schwarzen Fluß[76] gekommen war, sandte der Eparch[77] ihm Nachricht: »Russen ziehen gegen Zar'grad.« Und der Kaiser kehrte um.

Diese aber fuhren in das Innere der Meerenge[78] hinein und richteten viel Morden unter den Christen an und umringten Zar'grad mit 200 Schiffen. Der Kaiser aber gelangte nur mit Mühe in die Stadt, und zusammen mit dem Patriarchen Photios [ging er] zu der Kirche der heiligen Gottesmutter, die in Blachernai ist, und die ganze Nacht hindurch hielten sie Gebetsgottesdienst, und sie trugen das göttliche Gewand der heiligen Gottesmutter mit Gesängen hinaus in den Fluß[79] und benetzten es. Und während [zuvor] Windstille war und das Meer ruhig, erhob sich [jetzt] sogleich ein Sturm mit Wind, und große Wellen standen auf, aufeinander gehäuft. Und es brachte die Schiffe der gottlosen Russen in Verwirrung und warf sie ans Ufer und zerschlug sie, so daß nur wenige von ihnen aus einer solchen Not entkamen. Und sie kehrten zurück an ihren Ort.

Dieser Bericht widerspricht in folgenden Punkten dem Ablauf der Ereignisse, wie wir ihn aus den Predigten des Photios erschlossen haben:

1) Er behauptet, der Kaiser sei während der Belagerung in die belagerte Stadt zurückgekehrt und er habe an der Prozession mit dem Gewand der Gottesmutter teilgenommen[80]. Beides ist nach den Predigten des Photios ausgeschlossen.

2) Nach dem Chronikbericht ist das Gewand der Gottesmutter in das Wasser des Meeres (oder »des Flusses«) eingetaucht worden. Photios sagt nichts davon.

3) Ebenso sagt er nichts von dem Sturm, der sich nach dem Chronikbericht in diesem Augenblick erhoben und die feindlichen Schiffe zerschmettert haben soll. Photios lag daran, den plötzlichen Aufbruch der »Russen« als göttliches Wunder darzustellen. Es ist unmöglich, anzunehmen, er hätte von dem plötzlichen Sturm geschwiegen, wenn er sich in Wirklichkeit ereignet hätte. Aber es fehlt, wie unter 2) dargestellt, ja auch die in der Chronik geschilderte Voraussetzung: das Eintauchen des Gewandes der Gottesmutter in das Wasser des Meeres (oder Flusses).

4) Photios weiß nichts vom Untergang einer großen Zahl feindlicher Schiffe. Da er auch von einem Sturm nichts weiß, fehlt auch die Voraussetzung für den Untergang der Schiffe. Man hat gemeint, es könne doch sein, daß die Schiffe, wenn nicht beim Aufbruch von Konstantinopel, so doch irgendwann später von einem Sturm heimgesucht und vom Kaiser verfolgt und weitgehend zerstört worden seien[81]. Aber damit verwirft man doch das einzige Zeugnis, auf das man sich stützen könnte: nämlich die Erzählung vom Wunder mit dem Gewand der Gottesmutter, nach welcher der Sturm sich *sofort* erhebt.

Nach Photios bestand das Wunder nur darin, daß die »Russen« sich in dem Augenblick zum Aufbruch rüsteten, als die Prozession mit dem Gewand der Gottesmutter beendet war. Ein byzantinischer Chronist vergrößert es, indem er dem überlieferten Bericht hinzufügt, bei der Prozession sei das Gewand der Gottesmutter ins Wasser getaucht worden und beim Eintauchen des Gewandes habe sich ein Sturm erhoben, der die feindlichen Schiffe zerstört habe. Der Sturm zerstört die Schiffe. Wird das Zeugnis über das Sturm*wunder* für unhistorisch gehalten, so bleibt kein Zeugnis übrig, das überhaupt von einem *Sturm* erzählt.

Dieses Anwachsen des Wunderhaften, diese Tendenz zu höherer Stilisierung ist eine Erscheinung, die wir überall in der hagiographischen Literatur, aber auch weithin in der profanen Geschichtsschreibung (und nicht nur in der vergangener Zeiten!) beobachten können. Sie ist selbstverständlich auch in den Quellen zur Christianisierung Rußlands gegenwärtig. Selbst wenn wir alles für wahr halten *wollten*, was in den überlieferten Quellen steht – wir *können* es gar nicht, weil die Quellen sich vielfach widersprechen. Wir können nicht für wahr halten, was Photios über den Überfall von 860 sagt, und gleichzeitig das, was die Nestorchronik darüber berichtet. Wir müssen uns entscheiden, und wir entscheiden uns für Photios, denn er wußte es besser als »Nestor«.

## DAS WERK DER SLAWENLEHRER KONSTANTIN (KYRILL) UND METHOD

Die Byzantiner gaben sich nicht damit zufrieden, daß sie »noch einmal davongekommen« waren. Und Photios gab sich auch damit nicht zufrieden, daß er die Christen der Kaiserstadt ermahnte, künftig bessere Christen zu sein, um nicht noch einmal den Zorn Gottes heraufzubeschwören. Im Jahre 861, also im Jahr nach dem Überfall, ging eine Gesandtschaft von Konstantinopel zu den Chasaren – jenem Turkvolk, das an der unteren Wolga ein starkes Reich gegründet hatte, dessen Tributherrschaft bis zur Ankunft der »Russen« bis zum mittleren Dnepr gereicht hatte[82]. Von ihnen hatten die neuen Herrscher in diesem Gebiet offenbar den Titel »Kagan« übernommen[83]. Das Reich der »Russen« am mittleren Dnepr war von Anfang an der Konkurrent und natürliche Gegner des chasarischen Reiches, und diese Gegnerschaft führte denn auch konsequent dazu, daß schließlich, 100 Jahre später, nach der Nestorchronik im Jahre 965, der russische Fürst Sswjatossláw das chasarische Reich zerstörte.

Nachdem die Byzantiner im Jahre 860 das Ausmaß der Gefahr erkannt hatten, das ihnen von den »Russen« drohte, versuchten sie zunächst, diese Gefahr auf diplomatische Weise zu bannen. Sie schickten eine Gesandtschaft zu den Chasaren, mit denen sie ohnehin seit Jahrzehnten in freundschaftlicher Verbindung standen, offenbar um zu vereinbaren, daß im Fall neuer kriegerischer Auseinandersetzungen zwischen Byzanz und den »Russen« diese vom Rücken her durch eine mit Byzanz befreundete Macht bedroht würden. Die Chasaren standen seit Jahrhunderten im Einflußbereich dreier Hochreligionen: des Christentums, das vom Westen her, aus dem Byzantinischen Reich, zu ihnen kam, des Islam, der vom Süden, von jenseits des Kaukasus, vordrang, und des Judentums, das durch eine zahlreiche jüdische Bevölkerungsgruppe verbreitet wurde. Den Byzantinern mußte viel daran liegen, die Chasaren für das Christentum zu gewinnen, und deshalb wurde der diplomatischen Gesandtschaft des Jahres 860 auch ein Sachverständiger für Fragen der Religion und Theologie mitgegeben. Das war der Philosoph Konstantin, der später, bei seiner Mönchsweihe, den Namen Kyrill angenommen hat und der durch die Schaffung des slawischen Alphabets und der kirchenslawischen Liturgie- und Literatursprache eine unermeßliche Bedeutung für die Kirchen- und Kulturgeschichte der slawischen Völker bekommen hat[84].

Konstantin war im Jahre 826 oder 827, sein Bruder Method etwa 12 Jahre früher in der großen und wichtigen Stadt Thessalonike (Thessalonich, Saloniki) als Sohn eines hohen Offiziers geboren. Die unmittelbare Umgebung von Thessalonich war damals überwiegend slawisch, und auch in der Stadt selbst beherrschten viele Menschen das Slawische vollkommen. Die Slawen, die hier lebten, nannten sich selbst »Slowjene« (»Slowenen«), später setzte sich für dieses südslawische Volk die Bezeichnung »Bulgaren« durch. Darum wird die Sprache, die Konstantin und Method zur Grundlage der slawischen Liturgiesprache machten, auch »Altbulgarisch« genannt.

Konstantin erhielt eine hervorragende philosophische, theologische und philologische Ausbildung an der Universität von Konstantinopel. Wegen seiner großen Gelehrsamkeit erhielt er den Titel und Beinamen »Philosoph«. Er wurde zum Priester geweiht, bekleidete hohe Ämter in Kirche und Wissenschaft, wurde zu schwierigen theologischen Disputationen herangezogen, nahm als theologischer Sachverständiger an einer Gesandtschaft zu einem arabischen Chalifen teil und führte bei dieser Gelegenheit Religionsgespräche über die Fragen, die zwischen Christentum und Islam strittig sind. So war er wie kein anderer geeignet, auch an der Gesandtschaft zu den Chasaren teilzunehmen, bei der die Religionsfrage gleichfalls eine wichtige Rolle spielte.

Im Herbst 860 brach die Gesandtschaft in Konstantinopel auf und erreichte zu Schiff die Hauptstadt der griechischen Besitzungen auf der Krim, Cherson (russisch Kórssun'), nahe beim heutigen Ssewastópol'. Die Vita berichtet (Kap. 8), Konstantin habe den Aufenthalt in Kórssun' dazu benutzt, »die jüdische Sprache und Schrift« zu lernen. Offenbar bereitete er sich dadurch auf die Religionsgespräche mit jüdischen Gelehrten vor, die ihn am Hof des Kagans der Chasaren erwarteten. Darauf, so erzählt die Vita weiter, lernte er in Kórssun' einen Samaritaner kennen, der dort lebte. Samaritaner waren Anhänger jener Variante der israelitischen Religion, die sich auf dem Boden des israelitischen Nordreiches ausgebildet hatte. Die Samaritaner erkannten nur die fünf Bücher Mose als heilige Schrift an. Sie hatten auch das Hebräische als Schriftsprache, aber offenbar unterschied sich der Duktus der Handschrift von dem der hebräischen Bücher. Die Vita berichtet nun, jener Samaritaner habe dem »Philosophen« ein samaritanisches Buch gebracht; dieser habe von Gott das Verständnis der Schrift (d. h. die Fähigkeit, sie zu lesen) empfangen und das Buch fehlerfrei gelesen. Darüber aufs höchste erstaunt, habe der Samaritaner sich zum Christentum bekehrt und sich taufen lassen.

Dann folgt in der Vita ein kurzer Abschnitt, der seit mehr als hundert Jahren in der Slawistik umstritten ist. Er lautet:

Er fand aber auch ein Evangelium und einen Psalter, geschrieben in russischen Buchstaben (*ros'sky* oder *rusiskymi* oder *rus'skymi pis'meny*), und er fand einen Menschen, der jene Sprache sprach, und er redete mit ihm und empfing die Kraft der Rede, verglich sie mit seiner Sprache und unterschied die Zeichen für Selbstlaute und Mitlaute, und nachdem er zu Gott gebetet hatte, begann er alsbald zu lesen und zu sprechen [in jener Sprache], und viele wunderten sich darüber und priesen Gott.

Was ist mit den »russischen Buchstaben« gemeint? Manche Forscher sehen in diesen Worten ganz einfach das, was sie auf den ersten Blick zu sagen scheinen: Es waren Buchstaben, mit denen die russische (ostslawische) Sprache schon damals geschrieben wurde. Kórssun' war nicht weit von den Siedlungen der Ostslawen entfernt. Das Christentum war von Kórssun' aus auch zu ihnen gedrungen, und unter dem Einfluß der griechischen Schriftkultur hatten die Ostslawen ein eigenes, dem griechischen Alphabet verwandtes Alphabet geschaffen. Da die Sprache der Ostslawen auf der Krim der der Südslawen in der Umgebung von Thessalonich nahe verwandt war, fiel es dem sprachbegabten Konstantin nicht schwer, das slawisch geschriebene Evangelium zu lesen (zumal er es ohnehin weitgehend auswendig konnte). Wenn diese Auffassung richtig wäre, so hätten wir hier eine höchst aufschlußreiche Nachricht über Ursprung und Frühgeschichte des russischen Christentums und den Anfang der slawischen Schriftkultur.

Aber bei genauerer Überlegung ergeben sich bedeutende Schwierigkeiten für ein solches Verständnis. Wir sahen, daß die Griechen bis zur Mitte des 9. Jahrhunderts unter »Russen« die skandinavischen Waräger verstanden. Die Vita des Konstantin aber ist in dieser Zeit, nicht allzu lange nach dem Tod Konstantin-Kyrills (gestorben 869), entstanden. Wären Evangelium und Psalter, die Konstantin in Kórssun' in die Hand bekam, tatsächlich in slawischer Sprache geschrieben gewesen, so sollten wir erwarten, daß die Sprache hier auch als solche gekennzeichnet wurde.

Da das Wort »Rus'« damals Waräger, Schweden bezeichnete, haben andere Forscher gemeint, es handle sich um ein Buch in einer germanischen Sprache: vielleicht tatsächlich in jenem »Russisch« (= Schwedisch), das die Krieger sprachen, die in diesem Jahr Konstantinopel und vielleicht einige Zeit vorher Sugdaia (= Ssúrosh)

überfallen hatten. Vielleicht hingen diese Christen zusammen mit
jenen Kriegern des Brawlin, die durch das Wunder an den Reliquien
des Stephan von Ssúrosh sich hatten taufen lassen? Aber wie sollte
Konstantin bei aller seiner philologischen Genialität in wenigen
Tagen eine germanische Sprache lernen, die er bisher niemals hatte
hören können? Ebenso unwahrscheinlich ist, daß hier das Gotische
gemeint sei, die Sprache, in die Wulfilas im 4. Jahrhundert die Bibel
übersetzt hatte.

Die beste Lösung des Rätsels dieser Stelle der Vita Constantini
scheint mir die zu sein, die meint, daß der Text an unserer Stelle
durch einen Schreibfehler entstellt ist und daß statt »rus'sky«
ursprünglich gestanden hat »sur'sky«, daß also nicht von »russischen«, sondern von »syrischen« Schriftzeichen die Rede ist[85].

Bei diesem Verständnis bekommt der Text in jeder Einzelheit und
in seinem Zusammenhang klaren Sinn. Konstantin beschäftigt sich
in Kórssun' wegen des ihm bevorstehenden Religionsgespräches mit
Anhängern der jüdischen Religion mit dem Hebräischen in seiner
jüdischen und samaritanischen Variante. Jetzt wird ihm ein Buch
in einer anderen, mit der hebräischen verwandten Sprache vorgelegt.
Er redet mit einem Menschen, der jene Sprache sprach, und
»empfing die Kraft der Rede«, d. h. er begriff aus seiner Kenntnis
der hebräischen Sprache die Bedeutung der syrischen Worte; er
»vergleicht« die Worte der beiden Sprachen und stellt dabei
vielleicht bestimmte gesetzmäßige lautliche Entsprechungen fest.
Verständlich wird bei dieser Erklärung auch, warum »die Zeichen
für Selbstlaute und Mitlaute« besonders erwähnt werden. In der
griechischen und lateinischen Schrift sind die Schriftzeichen für
Selbstlaute nicht strukturell von denen für Mitlaute unterschieden
– wohl aber in den semitischen Sprachen, wo nur die Mitlaute durch
Buchstaben bezeichnet werden, die Vokale dagegen durch Punkte
und Striche über oder unter den Buchstaben.

So müssen wir darauf verzichten, den großen »Philosophen« und
»Lehrer der Slawen« Konstantin-Kyrill in *direkte* biographische
Beziehung zum Ursprung des russischen Christentums zu bringen.
Aber indirekt ist er auch für die Ostslawen der große Lehrer und
auch für sie der Begründer eines Kirchentums, das den Gottesdienst
in einer dem Kirchenvolk verständlichen Sprache feiert, und
gleichzeitig der Begründer der Schriftkultur.

Aber all dies wurde er nicht durch die Gesandtschaft zu den Chasaren, von der er in der Mitte oder der zweiten Hälfte des Jahres 861 zurückkehrte, sondern durch seine Tätigkeit in Mähren und Pannonien.

Dorthin wurde er von Kaiser Michael III. und dem Patriarchen Photios gesandt, nachdem im Jahre 862 eine Gesandtschaft von Rastislaw, dem Herrscher über das Großmährische Reich (in der heutigen Slowakei), in Konstantinopel eingetroffen war. Das Großmährische Reich hatte sich in der Mitte des 9. Jahrhunderts im Gebiet der westlichen Slowakei konsolidiert. Sein Mittelpunkt war das Gebiet am Mittellauf des Flusses Morawa, der, von Norden kommend, bei Preßburg (Bratislava) in die Donau mündet. Als es auf der Höhe seiner Macht stand, erstreckte sich sein Hoheitsgebiet nach Westen bis zum Erzgebirge und Böhmerwald und nach Osten bis über die Mitte der heutigen Slowakei hinaus, nach Süden bis an die Donau, umfaßte also auch Landesteile, die heute zu Ungarn gehören. Die Herrscher des Ostfränkischen (Deutschen) Reiches sahen das Erstarken dieses slawischen Staates mit Mißtrauen. 862 schloß der ostfränkische König Ludwig der Deutsche ein gegen das Großmährische Reich gerichtetes Bündnis mit Bulgarien, das damals, bevor die Ungarn am Ende des 9. Jahrhunderts in ihre heutigen Sitze einrückten, der südliche Nachbar des Großmährischen Reiches war. In dieser Situation suchte der mährische Fürst Rastislaw als Hilfe gegen diese Einkreisung ein Bündnis mit den südlichen Nachbarn der Bulgaren – dem mächtigen byzantinischen Reich. Auch jetzt standen Staats- und Kirchenpolitik in enger Verbindung. Mähren war von Bayern her christianisiert worden. Rastislaw wünschte aber, auch in kirchlicher Hinsicht nicht vom Ostfränkischen Reich abhängig zu sein. Und so bittet er den byzantinischen Kaiser nicht nur um Hilfe gegen die politisch-militärische Einkreisung, sondern auch um Kirchenlehrer. Die Vita Constantini (Kap. 14) gibt den Inhalt der Botschaft des Rastislaw mit folgenden Worten wieder:

Unser Volk hat sich vom Heidentum abgewandt und hält sich an das christliche Gesetz [= die christliche Religion]; aber wir haben keinen solchen Lehrer, der uns den wahren Glauben in unserer

Sprache sagen würde, auf daß auch andere Länder, dies sehend, uns nacheiferten. So sende uns, Herrscher, einen solchen Bischof und Lehrer. Denn von euch geht allezeit in alle Länder ein gutes Gesetz aus.

Rastislaw bittet also nicht nur um Religionslehrer, die den christlichen Glauben in slawischer Sprache unterrichten könnten. Gewiß hatten auch die aus Deutschland kommenden Missionare ihre Missionspredigten an die slawische Bevölkerung nicht auf deutsch oder lateinisch gehalten, was diese ja nicht verstanden hätten, sondern auf slawisch. Aber die Messe war natürlich auf dem Missionsgebiet, ebenso wie überall in Deutschland, in lateinischer Sprache gehalten worden, und das fremde Latein war die Sprache der kirchlichen Literatur und der Verwaltung.

Rastislaw bittet um einen Bischof: das bedeutet, daß er seine Kirche aus der Oberhoheit der deutsch-lateinischen Kirche lösen und sie der des byzantinischen Reiches unterstellen will. Wenn er sagt, »andere Länder« könnten, »dies sehend«, dem Beispiel des Großmährischen Reiches folgen, so eröffnet er der byzantinischen Kirchenpolitik eine weite Perspektive. Offenbar denkt er bei den »anderen Ländern« nicht gerade an Deutschland, sondern an die anderen slawischen Länder, die damals noch fast alle heidnisch waren. Er deutet an: Wenn ihr uns in unserem Vorhaben unterstützt, so wird sich vielleicht die gesamte Slawenwelt dem Christentum öffnen und eurer kirchlichen Oberhoheit unterstellen. Das mußte für den weitblickenden Patriarchen Photios eine sehr verlockende Aussicht sein, zumal er sich in diesen Jahren in einer ernsten Auseinandersetzung mit dem römischen Papst befand.

Die besten Voraussetzungen für die Erfüllung dieser Aufgabe von welthistorischer Bedeutung hatten die Brüder Konstantin und Method. Beide beherrschten die slawische Sprache, deren verschiedene Ausprägungen (das Südslawische, das Westslawische und das Ostslawische) sich damals noch sehr nahe waren. Konstantin war theologisch und philosophisch hervorragend gebildet: Methodios hatte jahrelang einen von Slawen bewohnten Bezirk des byzantinischen Reiches verwaltet und dabei deren Lebensweise kennengelernt[86]. Beide waren geistlichen Standes: Methodios war Mönch, Konstantin Priester.

Nach der Vita Constantini (Kap. 14) sagte der Kaiser zu ihm: »Ich weiß, Philosoph, daß du von Mühsal beladen bist, aber es ist nötig, daß du dorthin gehst. Denn diese Aufgabe kann kein anderer so erfüllen wie du.« Der Philosoph antwortete: »Obwohl ich von Mühsal beladen bin und krank am Körper, gehe ich doch mit Freuden dorthin, wenn sie Buchstaben in ihrer Sprache haben.« In den wenigen Worten dieses »wenn«-Satzes ist die kirchen- und kulturgeschichtliche Bedeutung Konstantins zusammengefaßt. Er wollte das große Werk der Slawenmission nur unter der Bedingung übernehmen, daß das Slawische nicht nur in Predigt und Seelsorge, also nicht nur in der mündlichen Form benutzt wurde, sondern daß es zur Schriftsprache erhoben würde, daß es auch Liturgie-, Literatur- und Verwaltungssprache wurde. Sonst, so meinte er, wären seine Bemühungen gleich denen eines Menschen, der ins Wasser schriebe.

Der Kaiser und der Patriarch stimmten der Forderung zu. Das verstand sich nicht von selbst. Zwar hatte das Griechische innerhalb der östlichen Kirche nicht die beherrschende Stellung wie das Lateinische im Westen; Syrer, Kopten, Perser, Araber, Goten und viele andere Völker feierten die Liturgie in ihrer Sprache; aber sie taten das seit langer Zeit; in jüngerer Zeit war man auch in Byzanz zurückhaltend in der Sprachenfrage. So hatten doch offenbar die zahlreichen slawischen Stämme, die innerhalb des byzantinischen Reiches wohnten (in der Umgebung von Thessalonich, in Makedonien, auf der Peloponnes und anderswo) und weitgehend christianisiert waren, keine »Buchstaben in ihrer Sprache«, d. h. keine slawische Liturgie- und Literatursprache. Und so verstand sich die Forderung Konstantins durchaus nicht von selbst, ja er mußte befürchten, als Häretiker verschrien zu werden, wenn er sie aufstellte (Vita Constantini, Kap. 14).

Aber, wie gesagt, der Kaiser und der Patriarch stimmen zu, und Konstantin erfindet ein Alphabet für die slawische Sprache. Die denkwürdigen Sätze, mit denen die Vita Constantini (Kap. 14) diesen Vorgang beschreibt, lauten:

Der Philosoph aber ging hin, und wie er es von jeher gewohnt war, oblag er dem Gebet zusammen mit anderen, die in gleicher Weise bemüht waren wie er. Und alsbald offenbarte sich ihm Gott, der die Gebete seiner Knechte erhört, und sogleich stellte er die Schriftzeichen zusammen und begann, den Text des Evangeliums zu schreiben: »Im Anfang war das Wort, und das Wort war bei Gott, und Gott war das Wort« und so weiter.

Das Alphabet, das Konstantin geschaffen hat, ist nicht das, das heute seinen (Mönchs-)Namen »Kyrill« trägt, also nicht das sogenannte kyrillische, sondern es ist das sogenannte glagolitische Alphabet, das sich viel stärker von dem griechischen unterscheidet als das »kyrillische«. Die folgende Abbildung (übernommen aus Tschibingirov, »Bulgarien vom Altertum bis 1878«, Leipzig, 1986, S. 139) zeigt links das glagolitische, rechts das kyrillische Alphabet:

Die kyrillische Schrift ist im Grunde nur die Anpassung der griechischen Schrift an die slawische Sprache. Nur für die Laute der slawischen Sprache, die es in der damaligen griechischen Sprache nicht gab, sind neue Zeichen erfunden, z. B. für den im byzantinischen Griechisch fehlenden Laut »b« das zweite Zeichen im vorstehenden Alphabet.
Auch für das glagolitische Alphabet hat man Vorbilder in anderen Alphabeten gesucht und auch einiges Vergleichbare gefunden; aber im wesentlichen scheint das glagolitische Alphabet doch aus frei erfundenen Zeichen zu bestehen.
Aber warum sollte Konstantin ein völlig neues Alphabet erfunden und nicht einfach das griechische benutzt und ergänzt haben? Es

mag eine Art philologischer Spieltrieb ihn dazu veranlaßt haben; er
wußte ja auch, daß die verschiedenen Sprachen mit verschiedener
Schrift geschrieben wurden, und er interessierte sich, wie wir gehört
haben, in Kórssun' für die hebräische, die samaritanische, die
syrische Schrift. Gewiß hat er auch von der armenischen, der
georgischen, der koptischen und natürlich auch der lateinischen
Schrift gehört. So konnte er sehr wohl der Meinung sein, daß sich
(nach den Worten des Evangeliums, Mk 2, 22) auch für den »neuen
Wein« der slawischen Sprache die »neuen Schläuche« einer neuen
Schrift geziemen. Vielleicht spielten aber auch kirchenpolitische
Erwägungen eine Rolle. Das Großmährische Reich lag im Bereich
der westlichen Kirche, wo die lateinische Schrift herrschte. Wäre in
dieses Gebiet nun die griechische Schrift hineingetragen worden, so
hätte das die Provokation, die in der mährischen Mission der
byzantinischen Kirche ohnehin lag, noch verstärken können.

Die philologische Leistung Konstantins liegt nun natürlich nicht in
der Erfindung von drei Dutzend Zeichen, sondern darin, daß er das
Lautsystem der slawischen Sprache aufs feinste analysierte und für
alle sinnunterscheidenden Laute (Phoneme) Zeichen erfand. Dadurch ist das von Konstantin geschaffene Schriftsystem bis heute
besser zur schriftlichen Fixierung der slawischen Sprachen geeignet
als die lateinische Schrift, die etwa für die Wiedergabe des »sch«
diakritische Zeichen oder Konsonantenhäufungen braucht (tsche-
chisch »š«, polnisch »sz«, vgl. auch deutsch »sch« usw.), während
die glagolitische und kyrillische Schrift es durch *ein* Zeichen wiedergeben.

Wie ist es zu erklären, daß die von Konstantin erfundene
glagolitische Schrift dann vom 9. Jahrhundert an doch der
kyrillischen gewichen ist? In Bulgarien, das dem byzantinischen
Reich unmittelbar benachbart war, hat die Nähe der griechischen
Kultur im 9. und 10. Jahrhundert bewirkt, daß sich die Kenntnis
der griechischen Sprache und der griechischen Schrift verbreitete
und daß das griechische Alphabet dazu benutzt wurde, auch
slawische Worte, Sätze, Texte zu schreiben. Da diese Schrift weiter
verbreitet und einfacher war als die doch recht komplizierten
glagolitischen Schriftzeichen, setzte sie sich durch. Damit war die
philologische Tat Konstantins aber nicht hinfällig und fruchtlos

geworden. Die Schreiber, die vorher die glagolitische Schrift benutzt hatten, suchten und fanden für jedes glagolitische Schriftzeichen ein Ersatzzeichen im kyrillischen Alphabet, und so blieb die sprachwissenschaftliche Leistung Konstantins – die genaue phonologische Analyse der slawischen Sprache – auch im kyrillischen Schriftsystem in vollem Umfang erhalten.

Aber die Erfindung des slawischen Alphabets war nur die erste, grundlegende philologische Leistung Konstantins. Die zweite, vielleicht noch größere war eine umfangreiche Übersetzungstätigkeit. Wollte man ein slawischsprachiges Kirchentum begründen, so mußten zunächst die für den Gottesdienst und für die Verwaltung der Kirche benötigten Bücher übersetzt werden. Der in dem vorhin zitierten Satz enthaltene Anfang des Johannesevangeliums ist der Beginn des Lektionars. Dieses Buch, das die Sonntagslesungen in der Reihenfolge der Sonntage des Kirchenjahres enthielt, war zunächst wichtiger als das »Tetraevangelium«, in dem die vier Evangelien nach der Reihenfolge der Kapitel wie in unseren heutigen Bibelausgaben abgedruckt sind. Das Lektionar brauchte man, um Gottesdienst halten zu können, das Tetraevangelium erst später, zur privaten Lektüre oder zum Studium.

Die Übersetzungen Konstantins sind bis heute klassisch und grundlegend und in leicht revidierter Form noch immer in liturgischem Gebrauch, ähnlich wie die Bibelübersetzung Luthers im deutschsprachigen Protestantismus. Für viele Begriffe des geistigen und religiösen Lebens, die in den kirchlichen Texten vorkamen, mußten bei der Übersetzung erst neue Worte geschaffen werden. Auch die komplizierte Syntax der hochentwickelten griechischen Schriftsprache war in der bis dahin nur mündlich gebrauchten slawischen Sprache schwer wiederzugeben. Konstantin und seine Mitarbeiter haben diese Aufgaben meisterhaft gelöst. Die Literatursprache, die sie auf diese Weise geschaffen haben, das sogenannte Kirchenslawische, ist bis heute die liturgische Sprache der östlich-orthodoxen und der unierten Slawen. Darüber hinaus war es bis weit in die Neuzeit hinein auch die Literatursprache, die die orthodoxen Slawen zu einer großen kulturellen Einheit zusammenschloß, auch als die slawischen Einzelsprachen (Russisch, Ukrainisch, Weißrussisch, Serbisch, Bulgarisch) sich schon weit auseinanderentwickelt hatten. Das Kirchenslawische, das auf dem altbulgarischen Dialekt der Umgebung von Thessalonich beruhte, hat die Einzelsprachen der orthodoxen slawischen Völker tief beeinflußt, besonders stark die russische Literatursprache, die nicht nur zahlreiche Worte und Wendungen, sondern auch grammatische Formen aus dem Kirchenslawischen (= Altbulgarischen) übernommen hat, so daß manche Forscher sie geradezu als eine Mischsprache aus Ostslawisch und Kirchenslawisch bezeichnen[87].

Aber von der Entsendung der Slawenapostel Konstantin und Method nach Mähren (863) bis zur Taufe Rußlands im Jahre 988 sollten noch 125 Jahre vergehen. Die Slawenmission und, aufs engste damit verbunden, die kirchenslawische Sprache hatten in dieser Zeit eine wechselvolle Geschichte. 863 kamen Konstantin und Method nach Mähren. Aber bald zeigte sich, daß sich bei der engen Nachbarschaft des großmährischen zum ostfränkischen (deutschen) Reich die weitfliegenden Pläne Rastislaws nicht verwirklichen ließen. Konstantin und Method sahen ein, daß sie sich mit Rom verständigen mußten, wenn ihr Werk von Bestand sein sollte. So reisten sie, einer Einladung des Papstes folgend, nach Rom, wo sie um die Jahreswende 867/68 ankamen. Sie wurden dort freundlich aufgenommen, besonders auch deswegen, weil sie Reliquien mitbrachten, von denen man damals allgemein glaubte, es seien die Gebeine des römischen Papstes Clemens I., der der Legende nach am Ende des 1. Jahrhunderts in Cherson (Kórssun') auf der Krim gestorben war. Während Konstantin dort weilte, forschte er nach den Gebeinen des Papstes, und er glaubte, sie dort gefunden zu haben[88]. Ebenso glaubte man es in Cherson und in Rom, wo man hoch erfreut war, die Reliquien eines der ersten römischen Päpste zu erhalten. In der Unterkirche der Clemens-Kirche in Rom ist ein Fresko aus dem 11. Jahrhundert erhalten, das den feierlichen Empfang der Reliquien in Rom darstellt.

Papst Hadrian II. kam den Slawenaposteln auch in anderer Hinsicht aufs freundlichste entgegen. Er ließ in den Hauptkirchen Roms die Liturgie in slawischer Sprache halten und gestattete damit grundsätzlich die slawische Liturgiesprache. Ein Jahr später, am 14. Februar 869, starb Konstantin in einem griechischen Kloster in Rom, nachdem er zuvor die Mönchsweihe empfangen und dabei den

Namen Kyrill angenommen hatte. Unter diesem Namen wird er in der westlichen und der östlichen Kirche als Heiliger verehrt. In der Clemenskirche in Rom ist er beigesetzt. Method kehrte mit weitgehenden Vollmachten des Papstes in sein Missionsgebiet zurück. Der Papst dachte offenbar an ein besonderes Erzbistum für die slawischen Völker, das frei sein sollte von der Oberhoheit des deutschen Episkopats. Aber die deutschen Bischöfe widersetzten sich diesen Plänen in sehr entschiedener Weise; die Fürsten des Großmährischen Reiches waren schwankend in ihrer Unterstützung Methods, und auch die Päpste waren nicht fest in ihrer Genehmigung der slawischen Liturgie. Als Method am 6. April 885 gestorben war, brach sein Werk in Mähren zusammen. Seine Schüler wurden aus Mähren vertrieben. Aber sie fanden in Bulgarien, das im Jahre 864 christlich geworden war und sich nach einigem Schwanken zwischen Byzanz und Rom endgültig dem östlichen Christentum zugewandt hatte, freundliche Aufnahme. Hundert Jahre lang wurde nun in Bulgarien das von Kyrill und Method begonnene Werk der kirchenslawischen Liturgie und Literatur fortgesetzt. Zahlreiche Bücher wurden aus dem Griechischen übersetzt, und es entstanden auch Originalwerke in kirchenslawischer Sprache.

Als dann, am Ende dieser hundert Jahre, die kirchenslawische Literatur in Bulgarien selbst von der griechischen immer mehr eingeschränkt und verdrängt wurde, übernahm die jetzt entstehende russische orthodoxe Kirche das reiche Erbe, das, von den Slawenaposteln aus Thessalonich gestiftet, über Mähren und Bulgarien zu ihnen gelangt war, und errichtete auf dieser Grundlage den Bau der kirchlichen Kultur Rußlands. So kann die russische orthodoxe Kirche mit vollem Recht die Slawenapostel mit zu ihren Gründern zählen, auch wenn sie die unhaltbare These, daß Konstantin in Kiew missioniert habe, preisgibt.

## DIE ERSTE TAUFE RUSSLANDS

Wir sahen, daß die Griechen nach dem Überfall der »Russen« auf
Konstantinopel sich nicht damit begnügten, Gott dafür zu danken,
daß sie »noch einmal davongekommen« waren. Ihr erster diplo-
matischer Schritt war die Gesandtschaft zu den Chasaren, die
offenbar bezweckte, die Russen im Rücken zu bedrohen, falls sie
noch einmal einen solchen Angriff wagen sollten. Aber die Griechen
wußten, daß es nicht genügt, mögliche Kriegsgegner zu bedrohen
oder abzuschrecken, daß es wichtiger ist, sie zu gewinnen. Das
zuverlässigste Mittel, sie zu Freunden und Verbündeten zu
gewinnen, bestand darin, daß man sie fürs Christentum gewann. Die
Bemühungen darum werden bald eingesetzt haben. Wir hörten
schon, welche Perspektiven sich 862 durch die Gesandtschaft aus
dem Großmährischen Reich für die byzantinische Kirchenpolitik
auftaten. Bald danach (864) öffnete sich auch Bulgarien für das
Christentum. Wieder war die kirchliche Frage aufs engste mit
staatlichen Problemen verbunden. Wie das Großmährische Reich
aus Furcht vor Einkreisung durch ein deutsch-bulgarisches Bündnis
politischen und kirchlichen Anschluß an Byzanz suchte, so suchte
nun Bulgarien Anschluß an das Fränkische Reich und an die
Römische Kirche. Aber dies ließ Byzanz ebensowenig zu wie
Deutschland und Rom den Anschluß Mährens an Byzanz. Eine
militärische Demonstration der Griechen genügte, den bulgarischen
Fürsten Borís zu veranlassen, sich im Jahre 864 durch Priester aus
Konstantinopel taufen zu lassen[89]. Er erhielt in der Taufe den Namen
seines Taufpaten, des byzantinischen Kaisers, Michael, und der
Patriarch Photios schrieb einen ausführlichen Brief an den Neuge-
tauften, in dem er ihm das Wesen des christlichen Glaubens und die
Pflichten eines christlichen Herrschers darlegte[90].
So lag es ganz im Zuge der byzantinischen Kirchenpolitik, daß man
auch versuchte, die »Russen«, die sich durch ihren Überfall auf
Konstantinopel auf der Bühne der Weltgeschichte so unüberhörbar
zu Wort gemeldet hatten, in die christliche Ökumene der byzantinischen Reichskirche einzubeziehen und sie dadurch aus gefähr-
lichen und alle Gebote der Menschlichkeit mißachtenden Feinden
zu Freunden und Verbündeten zu machen.

Die Quellen sagen nicht ganz eindeutig, von wem die Initiative für
diese erste Taufe Rußlands ausgegangen ist. Wir zitierten früher den
Bericht des »Theophanes continuatus« über den Angriff der
»Russen« auf Konstantinopel, der endet: »Nach nicht langer Zeit
erreichte eine Gesandtschaft von ihnen wiederum die herrschende
Stadt; diese [Gesandtschaft] bat darum, man möge sie [die Russen]
der göttlichen Taufe teilhaft werden lassen, was auch geschah.«[91]
Andere Quellen deuten an, daß die Griechen den ersten Schritt taten,
indem sie durch Friedensgesandtschaften reichliche Geschenke
überbringen ließen[92]. Beide Seiten werden zunächst Fühler ausge-
streckt haben, ehe es zu offiziellen Schritten kam. Vielleicht erfuhren
die »Russen« auch von den Verhandlungen, die Byzanz 861 mit den
Chasaren geführt hatte, vielleicht wurde durch dieses byzantinisch-
chasarische Bündnis sogar bewußt ein gewisser Druck auf die
Herrscher von Kiew ausgeübt[93].
Wie dem auch sei – erstaunlich schnell scheinen die »Russen« nach
dem Überfall von 860 bereit gewesen zu sein, das Christentum
anzunehmen, und es brauchen nicht nur politische Gründe gewesen
zu sein, die sie dazu bewogen. Denn die Griechen waren natürlich
auch bereit, mit nicht-christlichen Völkern Freundschafts- und
Militärbündnisse zu schließen, wie schon das Bündnis mit den
Chasaren zeigt. Andererseits dürften die »Russen« auch wieder bei
dem Überfall auf Konstantinopel die große Höhe der byzantinischen Kultur gespürt haben, und es mag mancherlei Erlebnisse von
der Art gegeben haben, wie sie uns in den Viten des Georgios von
Amastris und des Stephan von Ssúrosh geschildert werden. Die
Religion war nicht nur Sache persönlicher Überzeugung, sondern
sie war die Grundlage der Kultur und des sozialen Lebens, sie war
das »Gesetz«, der »Nomos« (russ. »zakón«)[94] des Volkslebens, und
wenn ein anderer »Nomos« als der höhere erkannt und anerkannt
wurde, so war die Bereitschaft da, dieses höhere »Gesetz« zu
übernehmen.
Wie für den Überfall auf Konstantinopel, so ist auch für die erste
Taufe Rußlands ein von Photios stammendes Schriftstück die
früheste und zuverlässigste Quelle. Photios stand in den 60er Jahren
in einem heftigen Konflikt mit dem römischen Papst Nikolaus I.
Dessen Streben ging darauf, den Anspruch Roms auf Jurisdiktions-

gewalt über die gesamte Kirche, also auch die des byzantinischen Reiches, durchzusetzen. Photios trat diesem Anspruch entgegen. Es waren nicht nur klerikale Machtgelüste oder persönliche Eifersüchteleien, was diese beiden überragenden Kirchenmänner in den Konflikt trieb. Ostrogorsky formuliert treffend: »Es lag eine historische Notwendigkeit darin, daß sich Byzanz dem römischen Kirchenuniversalismus entzog, nachdem sich der Westen dem byzantinischen Staatsuniversalismus entzogen hatte.«[95]

Photios hatte am 25. Dezember 858 den Patriarchenthron bestiegen, nachdem sein Vorgänger Ignatios durch den Kaiser zur Abdankung gezwungen worden war. Außerdem war Photios bis zu seiner Erhebung zum Patriarchen Laie gewesen. Beides widersprach den kanonischen Bestimmungen, war aber damals nichts Ungewöhnliches, und die Päpste hatten sonst gegen derartige Vorgänge keinen Einspruch erhoben. Nikolaus I. aber tat dies. Er erkannte die Einsetzung des Photios nicht an und ließ ihn durch eine im Lateran gehaltene Synode im Jahre 863 absetzen. Aber Photios hatte die Unterstützung des Kaisers und fügte sich dem Urteil der Synode nicht. Der Kaiser und sein Patriarch wiesen den universalen Jurisdiktionsanspruch des Papstes scharf zurück. Heftig wandten sie sich dagegen, daß seit 866 wieder lateinische Missionare in Bulgarien wirkten und dort liturgische Bräuche ausübten und Lehren verkündeten, die denen der Ostkirche widersprachen. Im Frühjahr oder Sommer 867 fand unter dem Vorsitz des Kaisers eine Synode in Konstantinopel statt, auf der die kirchenrechtlichen, liturgischen und dogmatischen Abweichungen der westlichen von der östlichen Kirche festgestellt und als Fehler gebrandmarkt und verurteilt wurden; der Papst Nikolaus wurde mit dem Bann belegt. Nach dem Ende dieser Synode schrieb Photios nun einen Rundbrief an die außerhalb des byzantinischen Reiches residierenden östlichen Patriarchen (in Alexandria, Antiochien und Jerusalem), in dem er ihnen mitteilte, was vorgefallen war, und sie zu einem ökumenischen Konzil einlud, das im Sommer dieses Jahres stattfinden und endgültig über die Angelegenheit entscheiden sollte[96].

In diesem Rundschreiben spricht er auch über die Erfolge der byzantinischen Mission, zuerst über die in Bulgarien, dann auch über die in Rußland erzielten. Er schreibt[97]:

Da nun die Unfrömmigkeit solchermaßen vertrieben wird und
die Frömmigkeit erstarkt, haben wir gute Hoffnungen, daß auch
die Fülle der Bulgaren, die jetzt neu über Christus belehrt und
neu erleuchtet wird, sich zu dem ihnen übermittelten Glauben
bekehrt; ja, und nicht nur dieses Volk hat den Glauben an
Christus eingetauscht gegen seine frühere Unfrömmigkeit,
sondern sogar das bei vielen vielmals berüchtigte und das an
Grausamkeit und Mordlust alle anderen übertreffende Volk, das
»Rhōs« genannt wird, das, nachdem es die rings um es
herumwohnenden [Völker] unterjocht hatte und von daher über
die Maßen hochmütig geworden war und auch gegen das
Römische Reich die Hände erhoben hatte – auch diese haben nun
den reinen und unverfälschten Gottesdienst der Christen eingetauscht gegen die heidnische und gottlose Lehre, in der sie zuvor
befangen waren, und anstelle der Räuberei, die sie noch vor
kurzem gegen uns getrieben haben, und des großen Wagstückes[98]
haben sie sich jetzt liebevoll eingeordnet in die Reihe derer, die
uns gehorsam und unsere Freunde sind. Und so weit hat sie der
Durst nach Glauben und Eifer entflammt (wiederum ruft Paulus:
»Gesegnet sei Gott in Ewigkeit!«[99]), daß sie auch einen Bischof
und Hirten empfangen und die Gottesdienste der Christen mit
viel Eifer und Sorgfalt freudig übernommen haben.

Dieser Text bezeugt zweifelsfrei, daß zur Zeit der Abfassung dieses
Briefes eine regelrechte, von Byzanz eingesetzte und der byzantinischen Kirche unterstehende Kirchenorganisation in Rußland
begründet worden war. Da die »Russen« nach den Bulgaren genannt
werden, dürfte die Gründung der russischen Kirche nach der der
bulgarischen, also nach 864, erfolgt sein.
Gern wüßten wir Genaueres über diese erste Taufe Rußlands: die
Namen des oder der russischen Fürsten, die sich damals haben
taufen lassen; wie viele es waren, die sich haben taufen lassen: ob
nur einige, oder vielleicht die ganze Umgebung des Fürsten; ob
vielleicht vorwiegend die »Russen« in engerem Sinn, d. h. die
Waräger, oder auch Teile der slawischen Bevölkerung; ob Kirchen
in Kiew gebaut wurden; wo der Bischof residiert hat; ob es ein
Grieche war oder vielleicht ein Slawe; wem er unmittelbar

unterstellt war; welchen Platz in der Rangfolge der Bischofsstühle er innehatte; in welcher Sprache der Gottesdienst gehalten wurde: griechisch oder schwedisch oder slawisch? Photios wußte dies alles, aber natürlich hatte er keinen Grund, es uns in dem zitierten Text mitzuteilen; denn er schrieb nicht als Historiker und für uns, sondern als Kirchenpolitiker für die östlichen Patriarchen.

Manche der Fragen lassen sich wenigstens vermutungsweise beantworten, vor allem die nach dem Umfang dieser ersten Bekehrung Rußlands zum Christentum. Er muß sehr beschränkt gewesen sein; denn diese erste Taufe hat im russischen Geschichtsbewußtsein des Mittelalters fast keine Spuren zurückgelassen. Keine authentische Quelle aus dem alten Rußland berichtet darüber, und nur die anachronistische Nachricht, daß Fürst Wladímir (um das Jahr 988) das Christentum von Photios empfangen habe (der hundert Jahre vorher gestorben war!), mag ein ferner Nachklang des Wissens um die erste Taufe gewesen sein. Der Grund für dieses völlige Abreißen der Tradition dürfte darin liegen, daß die Herrschaft der Fürsten, die damals in Kiew regierten, um das Jahr 882, also knapp 20 Jahre nach der Taufe unter Photios, von einer neuen, aus dem Norden kommenden Welle warägischer Krieger hinweggefegt wurde. Diese waren noch Heiden, und sie vernichteten mit der Führerschicht des Kiewer Staates auch die von ihr begründete und beschützte christliche Kirchenorganisation. Wären in den 60er Jahren unter Photios weite Kreise der Bevölkerung Kiews getauft worden, so hätte die Kirchenorganisation doch wohl überleben können. Aber sie scheint zum Jahrhundertende tatsächlich erloschen gewesen zu sein; denn in den Bischofslisten dieser Zeit fehlt Rußland. Es erscheint dort erst nach der Taufe Rußlands unter Wladímir, d. h. am Ende des 10. Jahrhunderts.

War das Christentum im Kiewer Staat damals tatsächlich auf die Staatsspitze beschränkt, so ist zweifelhaft, ob der Gottesdienst griechisch oder schwedisch oder slawisch gehalten wurde. Die slawische Liturgie war in dieser Zeit ja erst im Entstehen, Konstantin und Method waren im fernen Mähren, auch in Bulgarien war alles erst im Werden; es standen kaum Priester zur Verfügung, die den Gottesdienst in slawischer Sprache hätten halten können. So bestand kaum ein Grund, das Slawische als Gottesdienstsprache zu

bevorzugen. Die griechischen Priester dürften die Liturgie am
ehesten in der ihnen gewohnten Form in griechischer Sprache
gefeiert haben; die Predigt könnte, vielleicht mit Hilfe von
Dolmetschern, in schwedischer Sprache gehalten worden sein. Der
Bischof wird in Kiew residiert haben; die Kirchen werden klein
gewesen und aus Holz errichtet worden sein. Archäologische
Spuren sind meines Wissens nicht entdeckt.

Ein oft behandeltes Problem ist die von Photios gebrauchte
Wendung, die Russen hätten sich jetzt »liebevoll eingeordnet in die
Reihe derer, die uns gehorsam und unsere Freunde sind«, griechisch
»ὑπήκοοι καὶ πρόξενοι«. Man darf den Ausdruck nicht zu wörtlich
nehmen. Die Russen sind niemals »gehorsame Untertanen« des
byzantinischen Reiches gewesen. Aber nach byzantinischer Auffassung war der griechische Kaiser, der Herrscher im »neuen
Jerusalem«, das politische Oberhaupt der ganzen Christenheit, auch
dort, wo er keine konkrete Befehlsgewalt ausüben konnte. Eben
deswegen fiel es den Byzantinern schwer, die Kaiserwürde Karls des
Großen anzuerkennen, und eben deswegen nahmen sie es den
Päpsten so übel, daß sie »die Könige der Franken« zu Kaisern
krönten.

Wenn nun ein Herrscher von Konstantinopel her Christentum und
Taufe empfing und damit die kirchliche Oberhoheit des byzantinischen Kaisers und seines Patriarchen anerkannte, so galt er der
byzantinischen *Theorie* als »Gehorsamer und Freund«, auch wenn
er in der Praxis weder das eine noch das andere war.

Außer der völlig glaubwürdigen, aber sehr knappen Nachricht über
die erste Taufe Rußlands besitzen wir noch einen anderen, sehr viel
ausführlicheren und anschaulicheren, aber leider wenig zuverlässi-
gen Bericht über das gleiche Ereignis. Er ist enthalten in der
Biographie, die der byzantinische Kaiser Konstantin VII. Porphyrogennetos (gestorben 959) über seinen Großvater Basileios I.
geschrieben hat[100].

Dieser Basileios war als Stallknecht Kaiser Michaels III. dessen
Günstling geworden und bis zur Würde des Mitkaisers aufgestiegen.
Als er fürchten mußte, die Gunst des Kaisers zu verlieren, ließ er
ihn in der Nacht vom 23. zum 24. September 867 ermorden und sich
selbst zum Kaiser krönen. Da Photios aufs engste mit dem

ermordeten Kaiser Michael III. verbunden gewesen war, stützte sich
Basileios auf die entgegengesetzte Richtung, setzte den von Michael
III. abgesetzten Ignatios wieder ein und suchte den Frieden mit
Rom. Nur in der bulgarischen Frage blieb er auf der Linie Michaels.
Basileios I. wurde durch die Ermordung seines Vorgängers der
Begründer der sogenannten makedonischen Dynastie, die bis in die
Mitte des 11. Jahrhunderts regierte und das byzantinische Reich auf
den Gipfel seiner Macht brachte. Konstantin VII. stellt in der
Biographie seines Großvaters den von ihm ermordeten Michael III.
in schwärzesten Farben dar, als Wüstling, Trunkenbold und
Verschwender, und sucht damit die Bluttat seines Großvaters zu
entschuldigen. Eine Geschichtsklitterung ist es, wenn er das
Verdienst der Bekehrung Rußlands dem Kaiser Michael und dem
Patriarchen Photios nimmt und es seinem Großvater Basileios und
dessen Patriarchen Ignatios zuschreibt. Er berichtet im 97. Kapitel
der Biographie:

Aber er gewann auch das sehr schwer zu bekämpfende und ganz
gottlose Volk der Russen durch reichliche Geschenke an Gold
und Silber und seidenen Umwürfen zu Bündnisverhandlungen,
sandte Friedensgesandtschaften an sie und überredete sie, auch
der heilsamen Taufe teilhaftig zu werden, und sorgte dafür, daß
sie auch einen Erzbischof annahmen, der von dem Patriarchen
Ignatios die Weihe empfangen hatte. Als dieser [Erzbischof] in
dem Land des besagten Volkes angekommen war, verschaffte er
sich durch folgende Handlung eine gute Aufnahme bei dem Volk.
Der Herrscher dieses Stammes veranstaltete eine Versammlung
seiner Untertanen und setzte sich nieder zusammen mit den ihn
umgebenden Ältesten, welche wegen der langen Gewohnheit
mehr als die anderen dem Götzendienst zugetan waren und im
Zweifel waren über den eigenen Glauben und den der Christen.
Der Bischof[101], der kurz zuvor bei ihnen erschienen war, wird
hereingerufen und gefragt, was es denn sei, was er zu verkünden
habe und was er sie lehren wolle. Der zeigte ihnen das heilige Buch
des göttlichen Evangeliums vor und verkündete ihnen einige der
Wunder unseres Heilandes und Gottes und legte ihnen die
Geschichte der von Gott gewirkten Wundertaten nach dem Alten

Testament dar. Da sagten die Russen sogleich: »Wenn nicht auch
wir etwas Derartiges zu sehen bekommen, besonders aber das,
was du von den drei Jünglingen im Feuerofen[102] sagst, so werden
wir dir gar nicht glauben und auch unser Gehör nicht mehr dem
schenken, was du sagst.« Der aber vertraute darauf, daß der nicht
lügen kann, der da gesagt hat: »Wenn ihr etwas bittet in meinem
Namen, so werdet ihr es empfangen«[103], und: »Wer an mich
glaubt, der wird die Werke auch tun, die ich tue, und größere als
diese wird er tun«[104], wenn das, was geschieht, nicht zum
Vorweisen, sondern zur Rettung von Seelen geschehen wird; und
er sagte zu ihnen: »Wenn es auch nicht erlaubt ist, Gott, den
Herrn, zu versuchen[105], so sollt ihr doch, wenn ihr im Grunde
eurer Seele beschlossen habt, zu Gott hinzutreten, fordern, was
ihr wollt, und Gott wird dies völlig tun, um eures Glaubens
willen, wenn wir auch schwach und ganz gering sind.« Die aber
forderten, daß jenes selbst: das Buch des Glaubens der Christen
oder das göttliche und heilige Evangelium, in das von ihnen
entzündete Feuer geworfen werde; und wenn es unbeschädigt
und unverbrannt bewahrt werde, so wollten sie zu dem von ihm
verkündeten Gott hinzutreten. Nachdem dies gesagt worden war
und der Priester[106] seine Augen zu Gott erhoben hatte, sagte er:
»Jesus Christus, unser Gott, verherrliche deinen heiligen Namen[107] auch jetzt vor den Augen dieses ganzen Volkes«; und dann
wurde das Buch des heiligen Evangeliums in den Feuerofen
geworfen. Als aber viele Stunden vergangen waren und der Ofen
dann gelöscht worden war, wurde das heilige Buch aufgefunden,
unverletzt geblieben und unbeschädigt, und ohne irgendeinen
Schaden oder Minderung empfangen zu haben, so daß nicht
einmal eine der Fransen an den Verschlüssen des Buches
irgendeine Verderbnis oder Veränderung erlitten hatte. Als das
die Barbaren sahen und betroffen waren von der Größe des
Wunders, begannen sie sich ohne Verzögerung taufen zu lassen.

Wir wollen nicht fragen, ob der Bericht über das Feuerwunder auf
irgendeiner historischen Überlieferung beruht oder ob er aus
anderen legendären Missionserzählungen hierher übertragen worden ist. Aber in drei Punkten widerspricht er dem glaubwürdigen

Zeugnis des Photios: 1) Er setzt den Zeitpunkt der Annahme des Christentums durch die »Russen« in die Regierungszeit Basileios I. statt in die Michaels III. 2) Er macht aus dem ersten Bischof der »Russen« einen Erzbischof. 3) Er läßt diesen nicht von Photios, sondern von Ignatios geweiht werden.

Katholische Forscher haben sich besonders für diesen dritten Punkt interessiert. Denn wenn Photios den ersten Bischof nach Rußland entsandt hat, war die russische Kirche schon vom ersten Beginn an »schismatisch«, weil Photios von 861 an bis zu seiner Absetzung im Jahre 867 im Schisma mit Rom lebte. Da es aber unbestreitbar ist, daß Photios den ersten Bischof nach Rußland gesandt hat, versuchten einige Kirchenhistoriker doch daran festzuhalten, daß dieser Bischof von Ignatios geweiht sei, indem sie die Angaben in der Erzählung des Konstantin Porphyrogennetos so deuteten, daß jener Bischof schon vor der Thronbesteigung des Photios, in der ersten Amtsperiode des Ignatios, also vor dem 25. Dezember 858, von diesem geweiht, aber erst nach 860 von Photios nach Rußland geschickt worden sei[108]. Aber wir sahen, daß die ganze »russische Frage« erst durch den Überfall auf Konstantinopel im Jahre 860 ins Rollen kam, und man sollte aus dem ganz legendären und die geschichtliche Wirklichkeit wohl bewußt verfälschenden Bericht des Konstantin Porphyrogennetos nicht Einzelheiten herausnehmen und sie durch gekünstelte Erklärungen doch noch irgendwie wahrscheinlich zu machen suchen. Der kaiserliche Geschichtsklitterer denkt ja auch gar nicht daran, zu behaupten, daß Ignatios in seiner ersten Amtsperiode den »Erzbischof« für Rußland geweiht habe. Er setzt ganz einfach die ganze Geschichte der ersten Bekehrung Rußlands in die Zeit des Basileios, und dann war es für ihn selbstverständlich, daß Ignatios und nicht Photios den ersten Oberhirten für Rußland geweiht hat.

Allenfalls lassen sich der Erzählung des Konstantin über seinen Großvater zwei Hinweise entnehmen. Basileios wird zusammen mit seinem Patriarchen Ignatios die Beziehungen zu Rußland aufrechterhalten und die Bemühungen um die Christianisierung des Landes fortgesetzt haben. Ob er den hierarchischen Rang der russischen Kirche von dem eines Bistums zu dem eines Erzbistums erhöht hat, erscheint mir schon fraglich. Aber offenbar hielt Konstantin

Porphyrogennetos doch diesen Rang eines Erzbistums für die Kirche Rußlands für angemessen. Dies ist von Interesse für die kirchenpolitische Linie, die Konstantin in der Mitte des 10. Jahrhunderts Rußland und seiner Herrscherin Ol'ga gegenüber vertreten hat, wovon späterhin die Rede sein wird.

## Untergang der ersten russischen Kirchenorganisation und langsamer Neubeginn

Die »Nestorchronik« berichtet unter dem Jahr 882, Olég, ein Verwandter des Nówgoroder Fürsten Rjúrik und nach dessen Tod Vormund von Rjúriks Sohn Igor', sei von Nówgorod am Ilmensee über Ssmolénsk nach Kiew gezogen und habe die hier herrschenden Fürsten Askol'd und Dir überlistet und getötet, weil sie seiner Meinung nach nicht von fürstlicher Sippe waren und deshalb kein Recht hatten, die Herrschaft auszuüben[109].

Während wir von den früheren warägischen Herrschern in Rußland – Rjúrik und seinen Brüdern, Askol'd und Dir – kaum mehr wissen als ihren Namen, tritt uns die Gestalt Olégs in den Erzählungen der Nestorchronik als die eines überragenden Herrschers und Heerführers plastisch entgegen. Die Chronik sagt über ihn: »Sie nannten ihn ›den Weisen‹; denn die Menschen waren heidnisch und unwissend.«[110]

Das hier gebrauchte Wort für »weise« (russ. »veščij«) bedeutet nicht »weise« im christlichen oder philosophischen Sinn (russ. »mudryj«), sondern es bezeichnet magisches Wissen, und es wird deswegen von dem frommen Chronisten getadelt.

Als Olég die Kiewer Herrscher töten ließ, selbst die Herrschaft übernahm und dadurch den Staat schuf, der entlang dem »Wege von den Warägern zu den Griechen« von der Ostsee bis zum mittleren Dnepr reichte, war er vom Christentum offenbar unberührt, wie ja auch Schweden damals von der christlichen Mission noch kaum erreicht war.

Mit dem Untergang der bisherigen Herrscher über Kiew scheint auch die von ihnen geschützte Kirchenorganisation nach einer Dauer von kaum 20 Jahren verschwunden zu sein. Für Jahrzehnte

berichten weder griechische noch russische Quellen etwas über
Kirche und Christentum in Rußland. Aber der Dnepr floß weiterhin
zum Schwarzen Meer, und jenseits dieses Meeres lag noch immer
die Kaiserstadt am Bosporus und lockte durch ihren Reichtum.
Olég wiederholte das »große Wagstück«, das seine Vorgänger auf
dem Kiewer Fürstenthron im Jahre 860 ausgeführt hatten. Die
Nestorchronik berichtet unter dem Jahr 907 n. Chr. von dem
Angriff eines großen Heeres aus Warägern, Slawen und Finnen
unter Führung Olégs auf Konstantinopel[111]. Wieder konnte die
Stadt, damals die stärkste Festung in ganz Europa, nicht genommen
werden; und wieder folgte der militärischen Kraftprobe die
friedliche Annäherung, diesmal aber nicht erst nach Heimkehr des
Heeres, sondern unmittelbar vor den Mauern der Stadt. Offenbar
sahen beide Seiten, daß friedliche Handelsbeziehungen auf die
Dauer gewinnbringender waren als kriegerische Auseinandersetzungen, und im Präliminarfriedensvertrag wurden Rahmenbedin-
gungen für den Handel festgelegt, den die russischen Kaufleute in
Konstantinopel treiben durften. Dazu gehörte unter anderem, daß
die kriegerischen Handelsmänner außerhalb der Stadt, »beim
heiligen Mamas«[112] wohnen mußten, daß sie in den griechischen
Ortschaften keine »üblen Streiche« (russ. »pakosti«) machen
durften, daß sie nur ohne Waffen und nur in Begleitung eines
kaiserlichen Beamten in die Stadt kommen durften, daß sie hier dann
aber frei handeln konnten und keine Abgaben zu bezahlen
brauchten[113].
Der Friedensschluß wurde bekräftigt durch einen Eidschwur von
beiden Seiten: »Die griechischen Zaren [= Kaiser] Leon und
Alexander küßten das Kreuz, Olég aber und seine Mannen ließen
sie schwören gemäß dem russischen Gesetz [russ. ›zakón‹, auch =
›Religion‹]: Sie schworen bei ihrer Waffe und bei ihrem Gott Perún
und bei Wólos, dem Gott des Viehs.«[114] Unter den Russen, die den
Vertrag beschworen, scheint es hiernach keine Christen gegeben zu
haben; und ebenso werden in dem endgültigen Vertrag, der am
2. September 911 geschlossen wurde, die Griechen einfach als
»Christen« bezeichnet; die ihnen als Vertragspartner gegenüberste-
henden »Russen« gelten also offenbar insgesamt als Nichtchristen.
Aber gewiß haben sich die Griechen auch jetzt bemüht, die Russen

zu missionieren und sie dadurch noch enger an sich zu binden. An dieser Stelle steht in der Nestorchronik jener Bericht, den ich schon an früherer Stelle zitiert habe, wie den russischen Gesandten »die Schönheit der Kirchen« und die Reliquien der Heiligen gezeigt und wie sie »über den wahren Glauben belehrt« werden[115].

Außer Kaufleuten und Diplomaten gab es noch eine dritte Berufsgruppe, in der »Russen« in enge Berührung mit der byzantinischen Bevölkerung kamen: die der Berufssoldaten. Für das Jahr 910 sind zum ersten Mal »russische« Soldaten in byzantinischem Dienst bezeugt. Eine Abteilung von 700 russischen Kriegern diente damals in der byzantinischen Flotte und nahm an dem Feldzug dieses Jahres gegen Kreta teil. Offenbar war auch dies eine Folge der Kontakte, die seit 907 bestanden. Die ersten christlichen Märtyrer in Rußland, von denen uns die Nestorchronik berichtet, scheinen aus dieser Berufsgruppe hervorgegangen zu sein.

Am intensivsten aber dürfte doch die ständige Begegnung der russischen Kaufleute mit der Kultur und der Bevölkerung Griechenlands gewesen sein, und sie dürfte am meisten dazu beigetragen haben, daß das Christentum in Rußland vom Beginn bis zur Mitte des zehnten Jahrhunderts erheblich an Boden gewann. Der byzantinische Kaiser Konstantin VII. Prophyrogennetos, der uns schon als Verfasser der Biographie seines Großvaters Basileios I. begegnet ist, schrieb zwischen den Jahren 948 und 952 ein Buch »Über die Verwaltung des Reiches«[116]. Darin zitiert er ausführlich einen Bericht über die Handelsreisen, die die Russen in jedem Jahr von Kiew aus nach Konstantinopel unternahmen[117]. Im Frühjahr, wenn das Eis auf dem Dnepr geschmolzen war, sammelten sich die Schiffe (Einbäume) bei Kiew. Anfang Juni brachen sie auf, beladen mit den Handelsgütern für Konstantinopel: Felle, Wachs, Honig und Sklaven. Nach 10 Tagen kamen sie an die gefährlichste Stelle der Reise, zu den »Schwellen«, den etwa 70 km langen Stromschnellen des Dnepr (zwischen dem heutigen Dnepetrówsk und Saporóshje). Hier mußten die Schiffe teilweise an Land gezogen und an den Stromschnellen vorübergetragen werden. Hier lauerten oft beutelustige Nomaden (im 10. Jahrhundert waren es die mit Rußland meist verfeindeten Petschenegen), die mit Waffengewalt abgewiesen werden mußten. Der Erzähler fährt fort[118]:

Danach erreichen sie die Insel, die benannt ist »Der heilige Gregorios«, auf welcher Insel sie auch ihre Opfer darbringen, weil dort eine riesige Eiche steht, und sie opfern lebendige Hähne. Sie stecken auch ringsherum Pfeile hinein, andere aber auch Brot und Fleisch, und jeder von dem, was er hat, wie es die Sitte bei ihnen ist. Sie werfen aber auch Lose über die Hähne, sie entweder zu schlachten oder auch zu essen oder auch sie lebend loszulassen.

Die hier geschilderten religiösen Riten fügen sich gut zu dem, was wir über die heidnische Religion sowohl der Wikinger wie auch der Slawen wissen[119]. Da die Insel von den Griechen mit dem Namen eines christlichen Heiligen bezeichnet wird, dürfte auch ein christliches Heiligtum darauf bestanden haben. Und in der Zeit, in der dieser Bericht entstanden ist, waren unter den warägischen Kaufleuten gewiß schon Christen, so daß Obolensky, der Verfasser des vorzüglichen Kommentars zu diesem Kapitel, recht haben dürfte, wenn er sagt: »Es ist sehr gut möglich, daß in der Mitte des 10. Jahrhunderts während dieser kurzen Aufenthalte der russischen Handelsflotte auf der Insel des hl. Gregorios auch christliche Gebete erklungen sind.«[120] Für den griechischen Berichterstatter waren die heidnischen Gebräuche aber wohl von größerem Interesse als die ihm vertrauten christlichen Riten.

Nach etwa sechswöchiger Reise kamen die russischen Kaufleute dann nach Konstantinopel, wo sie sich mindestens mehrere Wochen aufhielten[121]. Sie sahen die Kirchen und die Gottesdienste der Griechen, und gewiß knüpften sich auch persönliche Beziehungen zwischen den nordischen Gästen und den Einwohnern und Einwohnerinnen Konstantinopels oder mindestens der Vorstadt »beim heiligen Mamas«[122] an. Eheschließungen aber führten zu intensiverem Kennenlernen der Religion des christlichen Ehepartners und wahrscheinlich oft zum Übertritt zum Christentum. So drang in der ersten Hälfte des 10. Jahrhunderts das Christentum von neuem und offenbar tiefer in die Bevölkerung des Kiewer Reiches ein; die Bekehrung vollzog sich nicht durch den Entschluß der Herrscher und blieb nicht beschränkt auf sie und ihre engere Umgebung, sondern durch individuelle Bekehrung einer zunehmenden Zahl von Angehörigen der wohlhabenden und staatstragenden Schicht. Um die Mitte des 10. Jahrhunderts setzen denn auch klare schriftliche Zeugnisse für das Vorhandensein einer Christengemeinde in Kiew ein.

Anfang der 40er Jahre kam es wieder einmal zu kriegerischen Auseinandersetzungen zwischen Griechen und Russen, die aber wieder, wie nach 860 und nach 907, durch einen Freundschafts- und Handelsvertrag beendet wurden[123]. In diesem Vertrag von 944, der nach seiner Präambel gelten soll »alle Jahre, solange die Sonne leuchtet und die ganze Welt steht«, wird bestimmt[124]:

> Und wenn einer vom russischen Lande auf den Gedanken kommt, diese [vereinbarte] Liebe zu brechen, dann sollen alle die vom russischen Lande, die die Taufe empfangen haben, Strafe erhalten von Gott, dem Allerhalter, verurteilt zum Verderben in diesem Leben und im künftigen; alle die aber, die nicht getauft sind, die mögen keine Hilfe haben von Gott und von Perún, und sie mögen nicht geschützt werden von ihren Schilden, und sie mögen zerhauen werden von ihren Schwertern und von [ihren] Pfeilen und von ihren Waffen, und sie sollen Sklaven sein in diesem Leben und im künftigen.

Dann folgen die Einzelbestimmungen des Vertrages, danach die Beurkundung der Ratifizierung. Die griechischen Kaiser unterschreiben in Anwesenheit der russischen Gesandten in Konstantinopel. Dann gehen griechische Gesandte zusammen mit der russischen Gesandtschaft von Konstantinopel nach Kiew und wohnen dort als Zeugen der Ratifizierung des Vertrages durch die russischen Fürsten und ihre Bevollmächtigten bei; und diese beurkunden die Ratifizierung mit Wendungen, die denen der Präambel ähnlich sind. Wieder werden, wie dort, die getauften Russen an erster Stelle genannt[125]:

> Wir aber, so viele von uns getauft sind, haben geschworen bei der Kirche des heiligen Elias in der Gemeindekirche, während das ehrwürdige Kreuz vor uns lag und dieses Pergament, zu halten alles, was auf ihm geschrieben ist, und nichts davon zu übertreten; wer es aber übertritt von unserem Lande, er sei ein Fürst oder ein anderer, er sei getauft oder er sei nicht getauft, der soll nicht

Hilfe haben von Gott, und er soll Knecht sein in diesem Leben und im künftigen, und er soll zerhauen werden von seinem eigenen Schwert.

Die nichtgetauften Russen aber legen ihre Schilde nieder und ihre entblößten Schwerter und ihre Armringe und die übrigen Waffen und schwören über alles, was auf diesem Pergament geschrieben ist, daß es gehalten wird von Igor' und von allen Bojaren und von allen Leuten vom russischen Lande in den zukünftigen Jahren und immerdar.

Wenn aber einer von den Fürsten oder von den russischen Leuten, seien sie Christen oder Nichtchristen, das übertritt, was geschrieben ist auf diesem Pergament, der soll wert sein, durch sein eigenes Schwert zu sterben, und der soll verflucht sein von Gott und von Perún, weil er seinen Schwur übertreten hat.

Aber vielmehr möge der große Fürst Igor' diese ganze freundschaftliche Vereinbarung in rechter Weise gut einhalten, auf daß sie nicht gebrochen werde, solange die Sonne leuchtet und die ganze Welt besteht, in diesem Äon und in Ewigkeit.

Hier wird in einem authentischen Text aus dem Jahre 944 bezeugt, daß es zu dieser Zeit in Kiew eine christliche Gemeindekirche gegeben hat, die dem Propheten Elias geweiht war. Dieser Prophet ist in der russischen orthodoxen Kirche sehr beliebt und spielt im russischen Volksglauben bis zum heutigen Tag eine große Rolle. Bei Gewitter denkt man an ihn, der »im Wetter gen Himmel fuhr«[126], und seine Gestalt konnte sowohl den Skandinaviern, die zuvor Thor, wie auch den Slawen, die den Donnergott Perún verehrt hatten, leicht nahe und vertraut werden.

Der Chronist, der uns in seiner 150 Jahre später geschriebenen Chronik den Text dieses Vertrags vollständig mitteilt, fügt von sich aus hinzu:

Am anderen Morgen rief Igor' die Gesandten und kam auf den Hügel, wo Perún stand, und sie legten ihre Waffen und ihre Schilde und Gold nieder, und Igor' schwor und seine Männer, sofern sie heidnische Russen waren; aber die christlichen Russen ließ man schwören in der Kirche des heiligen Elias, die am Rutschaj ist, am Ende der Passyntscha Besseda und der Kosarja:

dies war nämlich eine Gemeindekirche; denn es gab viele christliche Waräger.

Der Fürst selbst ist also noch Heide. Er schwört bei Perún, dem Hauptgott der heidnischen »Russen«, die um die Mitte des 10. Jahrhunderts schon weitgehend mit der slawischen Bevölkerung verschmolzen sind und ihren kriegerischen Hauptgott offenbar schon mit dem Namen des slawischen Donnergottes Perún[127] bezeichnen. Ob der Chronist Nachrichten über den Vollzug des heidnischen Schwures besessen hat, darf bezweifelt werden. Alles, was er uns darüber berichtet, kann er dem Vertragstext entnommen haben. Dagegen sind die Nachrichten über die Eliaskirche von hohem Wert; denn sie hat zur Zeit der Niederschrift der Chronik (um 1100) offenbar noch an der gleichen Stelle gestanden wie 150 Jahre zuvor. Noch heute gibt es in der Kiewer Unterstadt eine Kirche des Propheten Elias, in der Nähe des Rutschaj (oder der Potschajna), des Kiewer Flußhafens[128]. Daß dies die Gemeindekirche[129] der zahlreichen christlichen Waräger war, dürfte der Chronist wieder aus dem Vertragstext – offenbar richtig – gefolgert haben.

## DIE FÜRSTIN OL'GA – »DIE VORLÄUFERIN DES CHRISTLICHEN LANDES«

Bald nach dem Abschluß des Friedens- und Handelsvertrages mit Byzanz (wahrscheinlich im Herbst 944) ist der Kiewer Großfürst Igor' ums Leben gekommen. Er wurde erschlagen, als er im Gebiet der Derewljanen, dem nordwestlich von Kiew (im Gebiet, das heute durch Tschernóbyl' bekannt geworden ist) siedelnden ostslawischen Stamm, Tribut einsammelte. Die Regentschaft für Igor's minderjährigen Sohn, Sswjatossláw, übernahm dessen Mutter Ol'ga. Während Igor' (= germ. Ingwar) und Ol'ga (= germ. Helga) noch skandinavische Namen trugen, gaben sie ihrem Sohn einen rein slawischen Namen, was deutlich zeigt, daß das Fürstenhaus sich in dieser Zeit sprachlich und kulturell seiner slawischen Umgebung anglich. Die Chronik schildert Ol'ga zunächst als rachsüchtige und listige Frau – eine russische Kriemhild hat man sie genannt[130]. Dreimal rächt sie auf grausame Weise den Tod ihres Mannes. Die

Erzählungen darüber stammen offenbar aus sagenhafter Überlieferung, die im 11. Jahrhundert, als die Chronik entstand, noch lebendig gewesen sein muß.

Aber dann berichtet die gleiche Chronik ohne Übergang unter dem Jahr 955 plötzlich in ganz anderem Ton über Ol'ga[131]. Der Chronist erzählt: Ol'ga kommt nach Konstantinopel zu der Zeit, als Konstantin Porphyrogennetos dort Kaiser ist (945–959). Er verliebt sich in sie und möchte sie zur Kaiserin machen. Aber zuvor muß sie getauft werden. Sie läßt das geschehen, aber nur unter der Bedingung, daß der Kaiser ihr Taufpate wird. So geschieht es. Der Patriarch tauft sie. Nach der Taufe

> belehrte er sie über den Glauben und sagte zu ihr: »Du bist gesegnet unter den russischen Frauen; denn du hast das Licht lieb gewonnen und die Finsternis verlassen. Segnen werden dich die Russensöhne bis in das letzte Geschlecht deiner Enkel.«
> Und er gebot ihr und belehrte sie über die Ordnung der Kirche, über das Gebet und das Fasten und über das Almosen und über die Enthaltsamkeit, daß der Körper rein sei. Sie aber neigte ihr Haupt und nahm die Lehre auf wie ein Schwamm, der getränkt wird.

Als der Kaiser nach ihrer Taufe seinen Heiratsantrag erneuert, lacht sie ihn aus: Weiß er, der christliche Kaiser, nicht, daß nach dem kirchlichen Gesetz ein Pate seine Patentochter nicht heiraten darf? Der Kaiser muß zugeben, daß er von ihr überlistet ist, und entläßt sie mit Ehrerbietung, »nachdem er sie Tochter genannt hatte«. Auch der Patriarch »segnete sie, und sie zog hin mit Frieden in ihr Land, und sie kam nach Kiew«.

Sie möchte gern, daß auch ihr Sohn Sswjatossláw sich taufen läßt. Aber »er mißachtete das und nahm es nicht in seine Ohren auf; wenn aber einer sich taufen lassen wollte, so hinderte man ihn nicht, aber man schmähte ihn«. Wenn Ol'ga ihren Sohn zur Taufe drängt, sagt er:

> »Wie soll ich allein ein anderes Gesetz [= Religion] annehmen? Und die Gefolgschaft wird darüber lachen.« Sie aber sagte zu ihm: »Wenn du dich taufen lässest, so werden alle das gleiche tun.« Er

aber hörte nicht auf die Mutter und vollzog die heidnischen Gebräuche.

Unter dem Jahr 969 wird dann über ihren Tod berichtet[132]:

> Nach drei Tagen starb Ol'ga[133], und es weinten um sie ihr Sohn und ihre Enkel und alles Volk mit großer Klage. Und man trug sie hinaus und begrub sie an der Stelle[134]. Denn Ol'ga hatte geboten, keine Totenfeier über ihr zu halten[135]. Denn sie hatte einen Priester[136]; dieser begrub die selige Ol'ga. Diese war die Vorläuferin des christlichen Landes wie der Morgenstern vor der Sonne und wie die Morgenröte vor dem Licht. [. . .]

So ansprechend und anschaulich diese Erzählung auch ist, so gering ist doch ihr konkreter historischer Gehalt. Man kann in ihr deutlich zwei Schichten unterscheiden: einerseits die rein weltliche Erzählung darüber, wie der byzantinische Kaiser um sie wirbt und wie sie diese Werbung, die sie nicht einfach ausschlagen kann, durch List vereitelt; andrerseits die erbauliche Erzählung über ihre Taufe in Konstantinopel, über ihre Bemühungen, ihren Sohn zur Annahme des Christentums zu bewegen, über ihren Tod und ihr Begräbnis. Die weltliche Erzählung ist rein sagenhaft. Das uralte und weit verbreitete Sagenmotiv der Zurückweisung einer unwillkommenen Brautwerbung wird hier auf die schon bald nach ihrem Tod sagenumwobene Fürstin angewandt. Schon bei dem Bericht über die Rache, die sie nach dem Tod ihres Mannes nimmt, spielt dieses Motiv eine große Rolle, und dort ist es wesentlich besser begründet als in der Erzählung über die Reise nach Konstantinopel. Denn dort war es für sie in der Tat tief kränkend, daß die gleichen Derewljanen, die ihren Mann erschlagen hatten, nun für ihren Fürsten um die Hand der Witwe anhielten. War das Brautwerbungsmotiv aber einmal auf Ol'ga angewandt, so konnte es auch leicht auf ihre Beziehung zum Kaiserhof von Konstantinopel übertragen werden. Aber die Erzählung darüber entbehrt jeder historischen Grundlage. Der Kaiser Konstantin VII. Porphyrogennetos, der Ol'ga in Konstantinopel empfangen hat, war zu der Zeit dieses Empfanges lange verheiratet; die Kaiserin Helena war selbst an dem Empfang beteiligt.

So ist an der weltlichen Erzählung von Ol'gas Besuch in Konstantinopel nur so viel richtig, daß sie tatsächlich in Konstantinopel gewesen ist. Sind sich in der Ablehnung der Brautwerbungserzählung alle Forscher einig, so sind doch viele geneigt, die erbauliche, hagiographische Erzählung über Ol'ga, die in der Nestorchronik mit der weltlichen verwoben ist, für historisch zuverlässig zu halten. Man könnte ja meinen, daß in verhältnismäßig früher Zeit, als noch konkrete Erinnerungen an Ol'ga lebendig waren, eine hagiographische Vita über sie geschrieben worden sei, die der Chronist für seine Erzählung ausgenutzt und aus der er die Angaben über die Taufe in Konstantinopel geschöpft habe. Aber bei näherem Zusehen zeigt sich, daß dieser hagiographische Teil seiner Erzählung keine einzige konkrete Angabe enthält, die über das hinausginge, was in der Brautwerbungssage erzählt ist. Die Handlung dieser Sage setzt ja voraus, daß Ol'ga in Konstantinopel getauft wird: Der Kaiser verliebt sich in sie *bei ihrem Anblick*, also muß sie in Konstantinopel anwesend sein. Um seiner Werbung auszuweichen, läßt sie sich taufen. Die Taufe muß an Ort und Stelle stattfinden; denn nach der Taufe soll der Kaiser ja seine Werbung wiederholen. War von der inneren Folgerichtigkeit der Erzählung gefordert, daß die Taufe in Konstantinopel stattfand, so kam für den Erzähler bei einer so hochgestellten Persönlichkeit nur der Patriarch als Täufer in Betracht, und dieser mußte sie bei der Taufe belehren und vor ihrer Rückreise mit Segen entlassen. Daß sie nach ihrer Rückkehr versuchen würde, ihren Sohn zu bewegen, gleichfalls die Taufe zu empfangen, verstand sich auch von selbst. Ebenso, daß sie als getaufte Christin nicht wünschen konnte, daß bei ihrer Bestattung heidnische Riten vollzogen würden.

Das, was der Chronist (um 1100) aus mündlicher oder schriftlicher Tradition über die Taufe Ol'gas, über ihr Leben nach der Taufe und über ihr Lebensende wußte, war offenbar nur das, was in der Brautwerbungssage erzählt war, ferner, daß sie in der Taufe den Namen Helena erhalten hatte und daß sie im Jahre 969 gestorben war.

Glücklicherweise besitzen wir noch weitere Quellen, die über Ol'ga berichten, deren Verfasser genauere Kenntnisse von ihr hatten, ja sie sogar persönlich gekannt haben. Das waren einerseits der byzantinische Kaiser Konstantin VII. Poprhyrogennetos, dessen Schriften wir schon verschiedene wertvolle Nachrichten über das frühe Rußland entnommen haben, und andererseits – gleichsam vom anderen Ende der damals bekannten Welt – ein Mönch aus Trier, Adalbert, der später der erste Erzbischof von Magdeburg wurde.

Konstantin Porphyrogennetos bestätigt, was auch die Brautwerbungssage erzählt: daß Ol'ga tatsächlich in Konstantinopel gewesen ist. Er beschreibt in seinem Buch über die Zeremonien des byzantinischen Hofes die beiden feierlichen Empfänge, die der Kaiser aus Anlaß des Staatsbesuches der russischen Fürstin gegeben hat[137].

An einem Mittwoch, dem 9. September, wurde Ol'ga zuerst vom Kaiser empfangen nach dem Zeremoniell, das beim Empfang ausländischer Gesandten zelebriert wurde. »Das war ein offizieller feierlicher Empfang, voll von Glanz und üppigem Luxus, mit feierlicher Orgelmusik und ungewöhnlichen theatralischen Effekten, künstlichen vergoldeten Vögeln, die auf den Zweigen eines vergoldeten Baumes zwitscherten, vergoldeten Löwen, die brüllten und mit ihren Schwänzen auf die Erde schlugen, als hüteten sie den Kaiser, der auf einem Kolossalthron thronte, welcher dank einem speziellen Mechanismus zu einem bestimmten Moment sich erhob und den Herrscher des Weltalls bis zur Decke trug.«[138]

Nach Beendigung dieses Empfanges zieht der Kaiser sich zurück, und Ol'ga, als fürstliche Frau, wird nun auch von der Kaiserin empfangen. An diesem Empfang nehmen die höchsten Hofdamen der Kaiserin und der weibliche Teil des Gefolges der Ol'ga teil. Bei diesen Empfängen *stand* Ol'ga, während der Kaiser und die Kaiserin *saßen*. Dann aber folgte eine dritte Begegnung in vertraulicher Atmosphäre[139]:

> Der Kaiser setzte sich mit der Augusta und mit seinen purpurgeborenen Kindern; dann wurde die Fürstin gerufen, und nachdem sie sich auf Befehl des Kaisers gesetzt hatte, sprach sie mit dem Kaiser, worüber sie wollte.

Dieser dritte Empfang geht weit über das hinaus, was bei Empfängen von Gesandten üblich war. Es galt schon als großes Privileg, in Anwesenheit des Kaisers sitzen zu dürfen. Ebenso war es etwas

Besonderes, daß das Gespräch sich nicht auf die formellen, offiziellen Fragen beschränkte, sondern daß die Fürstin sprechen konnte, »worüber sie wollte«.

Es folgt, noch am gleichen Tage, ein offizielles Essen: die männlichen Mitglieder der Gesandtschaft essen beim Kaiser, die weiblichen bei der Kaiserin. Beim Eintritt in den Saal erweisen die Damen der Gefolgschaft Ol'gas der Kaiserin die Proskynese, d. h. sie fallen vor ihr nieder und berühren mit der Stirn den Boden; die Fürstin dagegen »verneigt nur ihr Haupt ein wenig«. Beim Mahl sitzt sie am Tisch der Kaiserin[140].

Nach dem Essen wird in einem besonderen Gemach auf einem goldenen Tisch der Nachtisch serviert. Dazu kommt der Kaiser und nimmt das Dessert im Familienkreise, zusammen mit seiner Gemahlin, dem Sohn, der Schwiegertochter, seinen Töchtern und mit der Fürstin Ol'ga. »Auf diese Weise traf sich Ol'ga sowohl nach den offiziellen Empfängen als auch nach dem Paradeessen mit dem Kaiser Konstantin Porphyrogennetos und der Kaiserin Helene, man kann fast sagen, *en famille*. Diese Begegnungen im Familienkreis, bei denen sogar die ›purpurgeborenen Kinder‹ anwesend waren, spiegeln eine Nähe, die in der blasierten Atmosphäre, in der steifen zeremoniellen Starre des Kaiserhofes recht ungewöhnlich und unerwartet erscheint. Die so unterstrichene Nähe zeigt, daß die Regentin der Rus, nachdem sie sich dem Christentum angeschlossen hatte, zur ›geistlichen Tochter‹ der byzantinischen Kaiserin geworden war und sich in die Familie der vom byzantinischen Kaiser angeführten christlichen Herrscher eng eingefügt hatte, im byzantinischen hierarchischen System einen Ehrenplatz einnahm.«[141]

Zum Andenken an den Empfang erhalten die russischen Teilnehmer byzantinische Münzen (Miliaresia) zum Geschenk: Ol'ga erhält, auf einem goldenen Tablett dargereicht, 500, ein »Neffe« von ihr 30, die Männer und Frauen ihres Gefolges je 20, der Dolmetscher 15, »der Priester Gregorios« 8.

Ein zweiter Empfang findet dann am 18. Oktober statt, einem Sonntag, wiederum mit einem offiziellen Essen, getrennt für Männer und Frauen. Wiederum ißt die russische Fürstin bei der Kaiserin »und ihren purpurgeborenen Kindern und der Schwiegertochter«, und wieder erhalten die Gäste Münzen zum Geschenk, die Fürstin

200, ihr Neffe 20, »der Priester Gregorios«, wie beim ersten Mal, 8.

Monats- und Wochentage der Empfänge sind also genau und richtig angegeben; denn in der Tat: Wenn der 9. September ein Mittwoch ist, dann ist der 18. Oktober ein Sonntag. Leider hat der Kaiser versäumt, was eine so kleine Mühe für ihn gewesen wäre, uns auch das Jahr zu nennen, in dem dies geschehen ist. Die Nestorchronik datiert den Besuch der Ol'ga in Konstantinopel auf das Jahr 6463 »nach Erschaffung der Welt«, das ist der Zeitraum vom 1. September 954 bis 31. August 955, wenn mit dem Jahresanfang am 1. September gerechnet wird (wie in Byzanz), oder vom 1. März 955 bis 29. Februar 956, wenn man das Jahr, wie in Rußland damals im allgemeinen üblich, am 1. März beginnen läßt. Aber die in der Chronik angegebene Jahreszahl ist auf jeden Fall falsch. Denn in beiden Jahren fiel der 9. September nicht auf einen Mittwoch und der 18. Oktober nicht auf einen Sonntag. Vielmehr geschah dies während der Regierungszeit Konstantins VII. (27. Januar 945 bis 9. November 959) nur in den Jahren 946 und 957. Bis vor kurzem nehmen die Historiker allgemein die zweite dieser Jahreszahlen als Datum des Besuches an, lag sie doch recht nahe an der in der Nestorchronik überlieferten Jahreszahl und andererseits nicht allzu nahe an dem Datum des Regierungsantritts der Ol'ga, dem Todesjahr ihres Mannes Igor', 944. Aber 1981 hat der russische Historiker G. G. Litáwrin sich mit gewichtigen Gründen für das frühere Datum, also das Jahr 946, ausgesprochen[142].

Eine andere Frage ist gleichfalls strittig: ob Ol'ga schon als Christin nach Konstantinopel gekommen ist oder ob sie dort, wie die Nestorchronik behauptet und wie auch andere, von der Nestorchronik unabhängige Quellen sagen, also in Konstantinopel, getauft worden ist[143].

Mit gutem Grund ist der große Historiker des byzantinischen Reiches Ostrogorsky[144] der Meinung, daß in diesem Fall das völlige Schweigen des Konstantin Porphyrogennetos über die Taufe Ol'gas schwerer wiegt als die positive Aussage der anderen Quellen. Wir sahen schon, wie wenig das Zeugnis der Nestorchronik wiegt, da in ihr die Behauptung, Ol'ga sei in Konstantinopel getauft worden, aus dem offenkundig unhistorischen Motiv der Brautwerbung entwickelt ist. Wie schlecht Adalbert unterrichtet war, wird daraus deutlich, daß er die Taufe Ol'gas in Konstantinopel in die Regierungszeit Romanos II. (959–963) verlegt, also in die Zeit nach dem Tod Konstantins VII.

Dagegen, so meint Ostrogorsky, sei es fast ausgeschlossen, daß, wenn Ol'ga in Konstantinopel getauft worden wäre, in dem Buch des Kaisers über die Zeremonien des byzantinischen Hofes diese Taufe nicht erwähnt würde, während doch über die beiden Empfänge so ausführlich berichtet wird[145]. Auch die Tatsache, daß sich in ihrem offiziellen Gefolge »der Priester Gregorios« befindet, deutet darauf hin, daß sie Christin ist. Würde eine heidnische, nicht getaufte Fürstin zu offiziellen Empfängen beim byzantinischen Kaiser einen christlichen Priester mitbringen? Und endlich – der besonders ehrenvolle Empfang, den Ol'ga erfährt, ihre symbolische Aufnahme in die Familie des Kaisers spricht dafür, daß Ol'ga bereits Christin war, als sie die Reise nach Konstantinopel unternahm.

Wenn nun also Ol'ga sehr früh, nämlich bereits im Sommer 946, nach Konstantinopel gereist ist und wenn sie bereits vorher auf den Namen Helena – den Namen der Kaiserin – getauft worden war, so ergeben sich einige interessante Folgerungen.

1) War die Kaiserin tatsächlich die Taufpatin Ol'gas (und der Taufname Ol'gas läßt das vermuten), so war deren Taufe nicht ein privater Akt, sondern sie war von hoher staatspolitischer Bedeutung. Der byzantinische Hof hat dann im voraus davon gewußt, und mit der Taufe ging Ol'ga eine enge Beziehung zum byzantinischen Kaiserhaus ein.

2) Wenn die Taufe vor dem Sommer 946 stattgefunden hat, so muß sie entweder noch zu Lebzeiten ihres Mannes Igor' vollzogen worden sein oder bald nach dessen Tod (Herbst 944). Man könnte meinen, Ol'ga sei schon früh, vielleicht schon als Kind christlich-warägischer Eltern getauft worden. Aber der Taufname Helena spricht dafür, daß sie bereits Fürstin war, als sie sich taufen ließ; denn die Kaiserin wird nur bei einer Fürstin bereit gewesen sein, die Patenschaft zu übernehmen.

3) Da Ol'gas Gemahl, Fürst Igor', zeitlebens Heide war, ist nicht anzunehmen, daß sie zu seinen Lebzeiten sich (im Einvernehmen mit dem byzantinischen Hof!) hat taufen lassen. Es ist also am

wahrscheinlichsten, daß Ol'ga, bald nachdem sie nach dem Tode ihres Mannes die Regentschaft übernommen hatte, sich zur Taufe entschlossen hat. Vielleicht stammte sie aus jenem warägischen Milieu, durch das das Christentum seit dem Beginn des Jahrhunderts nach Rußland gedrungen war[146]. Vielleicht hatte sie auf Wunsch Igor's sich zu seinen Lebzeiten nicht taufen lassen, suchte aber alsbald nach ihrem Regierungsantritt den Anschluß an die Kirche. Sie dürfte sich der politischen Folgerungen bewußt gewesen sein, die ein solcher Schritt nach sich zog. Sie muß schon vor ihrer Taufe darüber mit dem byzantinischen Hof verhandelt haben (sonst hätte sie nicht die Kaiserin als Taufpatin gewinnen können). Nachdem die Taufe vollzogen ist, reist sie nach Konstantinopel, wo sie nun symbolisch aufgenommen wird in die Familie des Kaisers, der sie »seine Tochter nennt«[147]. Von hier aus bekommt die große Reise der Fürstin auch ihren klaren Sinn. Denn um Handelsverträge abzuschließen, hätte sie nicht nach Konstantinopel zu reisen brauchen; das hätten auch ihre Gesandten tun können; zudem war ja erst kurz zuvor (944) ein günstiger Handelsvertrag abgeschlossen worden; es ist auch nirgends davon die Rede, daß während ihrer Regentschaft neu darüber verhandelt worden wäre.

Notwendig aber mußte, wenn sie Christin und »Tochter des Kaisers« geworden war, über die künftigen kirchlichen und staatlichen Beziehungen zwischen dem Reich von Konstantinopel, dem »neuen Rom«, und dem von Kiew gesprochen werden. Leider teilt uns Konstantin Porphyrogennetos nicht mit, was er bestimmt gewußt hat und was uns noch mehr interessiert hätte, als wer wieviel Münzen bekommen hat: nämlich den Inhalt, den Verlauf und das Ergebnis der Verhandlungen.

Sowohl die russische Fürstin wie auch der griechische Kaiser mußten wünschen, daß nun, nach der Taufe der Herrscherin, das Christentum als Staatsreligion in Rußland eingeführt würde. Aber verhandelt werden mußte über die Einordnung der russischen Kirche in die Rangliste der ostkirchlichen Hierarchie. Es gab hier viele Möglichkeiten. Die neue Kirche konnte Teil einer schon bestehenden Eparchie werden, d. h. den Zustand behalten, den sie bis dahin offenbar hatte. Oder sie konnte den Rang eines einfachen Bistums erhalten, das dem nächstgelegenen Metropoliten, etwa dem von Cherson auf der Krim, untergeordnet wurde. Sie konnte aber auch eine selbständige Metropolie werden, untergeordnet direkt dem Patriarchen von Konstantinopel; oder ein autokephales Erzbistum, das sich sein Oberhaupt selbst wählte und das dem Patriarchen von Konstantinopel zwar nach-, aber nicht untergeordnet wäre; oder schließlich, wenn sich die Wünsche aufs Höchste richteten, vielleicht sogar ein eigenes Patriarchat. Diese Frage nach dem hierarchischen Rang einer Kirche spielte im Mittelalter eine beträchtliche Rolle, und gerade in dem Rußland fast benachbarten und sprachverwandten Bulgarien (insofern dort auch slawisch gesprochen wurde) waren diese Fragen vom 9. bis zum 11. Jahrhundert höchst aktuell und heiß umstritten, und sie hatten zu heftigen Konflikten – einmal zwischen den Bulgaren und Byzanz und ein andermal zwischen Byzanz und Rom – geführt. Dem Oberhaupt der bulgarischen Kirche war nicht lange vor Ol'gas Besuch (927) der Titel des Patriarchen zuerkannt worden. Ol'ga dürfte über diese Problematik unterrichtet gewesen sein und war hier vielleicht ebensowenig zum Nachgeben bereit, wie manche der bulgarischen Herrscher es gewesen waren. Andrerseits stand auch für Byzanz hier viel auf dem Spiel. Ein weitgehendes Entgegenkommen gegenüber dem eben erst christlich werdenden Rußland hätte anderen Völkern und ihren Herrschern Anlaß geben können, mehr zu fordern, als man in Konstantinopel bereit war, ihnen einzuräumen.

Ebenso konnte die Stellung des russischen Fürsten innerhalb der Rangordnung der christlichen Herrscher Gegenstand von Verhandlungen sein. Wieder war es Bulgarien, das für Rußland einen lockenden Präzedenzfall bot. Der Bulgarenherrscher Symeon hatte seit 913 nach dem Titel eines Kaisers (slaw. »Zar«) gestrebt, und dieser Titel war ihm und, nach seinem Tod im Jahre 927, seinem Sohn Peter (927–970) auch tatsächlich zugestanden worden[148]. Dagegen wird die Herrscherin Rußlands, das so viel größer und mächtiger war als Bulgarien, von Konstantin VII. stets nur als »Archontissa« = »Herrscherin«, »Gebieterin«, »Fürstin« bezeichnet. So mußte auch diese Frage, eng verbunden mit der nach dem Rang der Kirche, ein Gegenstand von Verhandlungen sein.

Nur als Frage sei ausgesprochen, ob Ol'ga vielleicht auch an dynastische Beziehungen zum byzantinischen Kaiserhaus gedacht hat. Auch die bulgarischen Herrscher hatten in der ersten Hälfte des 10. Jahrhunderts ein Ehebündnis mit dem Kaiserhaus geschlossen[149], und wiederum konnte Ol'ga meinen, daß ihr recht sein mußte, was den Bulgaren billig war. Und auch bei diesem Punkt (wenn er Verhandlungsgegenstand war) mußten die Verhandlungen sich schwierig gestalten; denn Konstantin VII. war ganz entschieden der Meinung, daß eine Angehörige des byzantinischen Kaiserhauses nicht einem Barbarenfürsten zur Frau gegeben werden dürfe, und er tadelt in seinem Buch über die Verwaltung des Reiches (Kap. 13) ausdrücklich, daß sein Vorgänger auf dem Kaiserthron (gleichzeitig sein Schwiegervater) Romanos Lakapenos I. eine seiner Enkelinnen dem bulgarischen Zaren Peter zur Frau gegeben hatte.

War der Kaiser in diesen beiden letzten Punkten kaum zum Nachgeben bereit, so hat er der russischen Kirche vielleicht den Rang eines Erzbistums geben wollen. Wir hörten früher, daß er in der Biographie seines Großvaters Basileios I., die Geschichte ein wenig fälschend, schrieb, Basileios habe durch den Patriarchen Ignatios einen Erzbischof zu den Russen geschickt (während in Wirklichkeit Photios unter Michael III. einen Bischof geschickt hatte)[150]. Vielleicht zeigt dies, daß Konstantin VII. den Rang eines Erzbistums für die zu gründende russische Staatskirche als angemessen betrachtete.

So kann man gut verstehen, daß die Verhandlungen schwierig waren und daß Ol'ga trotz des ehrenvollen Empfanges, der ihr in Konstantinopel bereitet worden war, mit dem Ergebnis unzufrieden war. Die Erinnerung an Meinungsverschiedenheiten zwischen Ol'ga und dem Kaiser hat auch die Sage festgehalten, die in der Nestorchronik überliefert ist. Dort wird nicht nur erzählt, daß Ol'ga den Kaiser bei dessen Brautwerbung überlistet habe, sondern auch, daß sie verärgert war, weil er sie bei den Verhandlungen in Konstantinopel so lange auf Antwort habe warten lassen[151].

Die mageren Ergebnisse der Verhandlungen mit Konstantinopel können erklären, warum Ol'ga mit ihrer Kirchenpolitik in ihrem eigenen Lande keinen Erfolg hatte. Es gelang ihr nicht, was sie ohne Zweifel wünschen mußte, nach ihrer Rückkehr nach Rußland das Christentum als Staatsreligion einzuführen. Dieser Mißerfolg scheint sie gegen Ende ihrer Regentschaft zu dem Schritt veranlaßt zu haben, über den uns nun jene andere zeitgenössische Quelle, geschrieben am anderen Ende der damals bekannten Welt, nämlich im Kloster Weißenburg im Elsaß, berichtet: zu der Gesandtschaft an den höchsten Herrscher des Westens, den deutschen König Otto den Großen.

Der Verfasser dieses Berichtes ist Adalbert, der später (968) zum ersten Erzbischof von Magdeburg werden sollte. Von 966–968 war er Abt der Reichsabtei Weißenburg im Elsaß, und in dieser Zeit schrieb er die Fortsetzung einer Chronik, die Regino von Prüm (gestorben 915) verfaßt hatte. Hier erzählt er unter den Jahren 959 bis 966 folgendes[152]:

> 959 (. . .) Gesandte der Helena, der Königin der Russen, die unter Romanus, dem Kaiser von Konstantinopel, in Konstantinopel getauft worden war, kamen zum König und baten (unaufrichtig, wie sich später herausstellte), man möge diesem Volk einen Bischof und Priester bestellen.

Ol'ga wird mit ihrem Taufnamen Helena bezeichnet. Sie wird »Königin« (»regina«) genannt. Unrichtig ist die Angabe, daß sie unter Kaiser Romanos getauft worden sei. Romanos I. hat bis 944 regiert, Romanos II. von 959–963. So hat auch Adalberts Aussage, daß Ol'ga in Konstantinopel getauft worden sei, kein allzu großes Gewicht[153].

Der deutsche König, zu dem die Gesandten der Ol'ga kamen, war Otto der Große, König seit 936; Kaiser ist er erst 962 geworden.

Unter dem Jahr 960 verzeichnet die Chronik dann, daß Libutius, ein Mönch des Klosters St. Alban in Mainz, zu Weihnachten 959 von Adaldag, dem Erzbischof von Hamburg und Bremen, zum Bischof von Rußland geweiht worden sei. Aber Libutius, »durch gewisse Abhaltungen am Aufbruch gehindert«, starb am 15. Februar 961[154], ohne die Reise angetreten zu haben. Adalbert fährt nun fort, indem er über sich selbst in der dritten Person spricht:

> Ihm folgte in der Weihe für die Entsendung in die Fremde Adalbert, einer der Klosterbrüder von St. Maximin, auf das Betreiben und den Rat des Erzbischofs Wilhelm, obwohl er [Adalbert] Besseres von ihm erwartet und sich nie in irgendeiner

Weise gegen ihn vergangen hatte. Der sehr fromme König entsandte ihn, nachdem er ihn in seiner gewohnten Milde mit allem, dessen er bedurfte, reichlich versehen hatte, in ehrenvoller Weise zum Volke der Russen. (. . .)

Adalbert war also, als er im April 961 zum Bischof für Rußland geweiht wurde, ein Mönch des Klosters St. Maximin in Trier. Er scheint diese Weihe und den damit verbundenen Auftrag, nach Rußland zu ziehen, eher als Strafe für ein ihm unbekanntes Vergehen denn als Auszeichnung betrachtet zu haben. Verantwortlich macht er dafür den Erzbischof Wilhelm von Mainz, einen Sohn Ottos des Großen. Vom König gut ausgestattet, zog Adalbert bald nach seiner Weihe nach Rußland.
Unter dem Jahr 962 verzeichnet er:

(962). (. . .) In demselben Jahr kehrte Adalbert, der als Bischof für die Russen geweiht war, nachdem er nichts von dem, dessentwegen er entsandt worden war, hatte ausrichten können und da er sah, daß er sich vergeblich gemüht hatte, zurück, wobei einige seiner Begleiter auf dem Rückweg getötet worden waren und er selbst mit Müh und Not kaum entronnen war.

Bei seiner Rückkehr wird Adalbert von dem König und auch »von dem gottgefälligen Erzbischof Wilhelm«, auf dessen Betreiben er die so schwierige Reise hatte unternehmen müssen, gut aufgenommen und für die erlittene Mühsal reichlich belohnt.
Endlich lesen wir unter dem Jahr 966, daß »der Kaiser den Adalbert, der als Bischof für die Russen geweiht worden war, an die Spitze des Klosters Weißenburg stellte«. 968 machte der Kaiser ihn dann zum ersten Erzbischof von Magdeburg. Dieses neu gegründete Erzbistum war gedacht als Ausgangspunkt für die Missionierung der slawischen Stämme und Völker östlich der Elbe. Vielleicht galt Adalbert dem Kaiser gerade wegen der Erfahrungen, die er auf seiner Reise nach Kiew gesammelt hatte, als »Ostexperte« und wurde deswegen mit dieser Aufgabe betraut.
Was hat Ol'ga zu dieser Gesandtschaft an Otto den Großen veranlaßt, und warum ist Adalbert mit seiner Mission in Kiew gescheitert?

Adalbert war offenbar der Meinung, Ol'gas Bitte um Entsendung eines Bischofs und mehrerer Priester sei von vornherein nicht ernst gemeint gewesen: »ficte, ut post claruit« (»erlogen, wie sich später herausstellte«) sei all dies gewesen. Dies Urteil ist vielleicht etwas hart, mit bestimmt von dem großen Mißmut, den Adalbert später empfinden mußte, wenn er an seine mühselige, gefahrvolle und ergebnislose Reise nach Kiew zurückdachte. Aber im wesentlichen ist es wohl doch zutreffend. Offenbar hat Ol'ga kurz vor dem Ende ihrer Regentschaft, als die Übernahme der Regierungsgeschäfte durch ihren allmählich heranwachsenden Sohn bevorstand, noch einen Versuch zu einer befriedigenden Lösung der Kirchenfrage unternommen. Die Worte Adalberts zeigen, daß Ol'ga doch wohl nicht ernstlich gesonnen war, sich von der östlichen Kirche, in der sie die Taufe empfangen hatte, abzuwenden und sich der Oberhoheit der lateinischen Kirche zu unterstellen. Wie hundert Jahre zuvor der Bulgarenherrscher Borís Druck auf Konstantinopel ausgeübt hatte, indem er Verhandlungen mit Rom aufnahm, so jetzt Ol'ga. Vollends als sie sah, daß auch aus dem Westen nur ein *Bischof* gesandt wurde und keine Aussicht bestand, von dort einen höheren kirchlichen Rang zu erhalten als von Konstantinopel (wo man ihr offenbar den Rang eines Erzbistums zuzugestehen bereit war), mußte sie das Interesse an der westlichen Kirche verlieren. Auch die Sprachenfrage könnte eine Rolle gespielt haben. Da die Waräger in dieser Zeit immer stärker zur slawischen Sprache übergingen und die Griechen sich für den diplomatischen Verkehr mit Rußland der slawischen Sprache bedienten, ist die gottesdienstliche Sprache bei der christlichen Gemeinde gewiß das Kirchenslawische gewesen – die Sprache, die zu dieser Zeit auch in Bulgarien Gottesdienstsprache war. Es ist gut möglich, daß auch die Geistlichen, die in dieser Zeit in Kiew den Gottesdienst hielten, aus dem sprachverwandten Bulgarien kamen. Adalbert und die Priester, die mit ihm aus Westdeutschland nach Kiew kamen, hatten gewiß keine Beziehungen zur kirchenslawischen Tradition, die hundert Jahre zuvor in Mähren begonnen hatte, aber inzwischen in Deutschland fast vergessen war. So haben Adalbert und seine Priester in Kiew die Messe gewiß in lateinischer Sprache gehalten, und ein Gottesdienst in slawischer Sprache kam für sie überhaupt nicht in Betracht.

So war die Mission Adalberts offenbar von vornherein zum Scheitern verurteilt. Die russische Kirche war von ihrem Ursprung her schon zu eng mit der ostkirchlichen, byzantinischen kirchlichen Kultur verbunden, als daß eine Hinwendung zum Westen noch ernsthaft in Frage gekommen wäre.

Als Grund für das Scheitern Adalberts kann man auch in Erwägung ziehen, daß Ol'gas Sohn, Sswjatossláw, und mit ihm offenbar eine starke Partei der staatlichen Führungsschicht, das Christentum überhaupt ablehnte. Aber entscheidend dürfte das wohl doch nicht gewesen sein. Adalbert jedenfalls schreibt nichts davon, sondern gibt die Schuld an seinem Scheitern allein der Tatsache, daß die Bitte der Ol'ga von vornherein nicht ernst gemeint war: »ficte, ut post claruit«.

Die ganze Episode von der Gesandtschaft Ol'gas an Otto den Großen und der mißlungenen Mission Adalberts ist uns nur aus westlichen Quellen bekannt; die Nestorchronik schweigt darüber. Nur eine leichte Anspielung findet sich in der Chronikerzählung über Ol'gas Enkel, Wladímir. Da heißt es unter dem Jahre 986, von den Deutschen seien Glaubensboten zu ihm gekommen, die ihn zu ihrem Glauben bekehren wollten, er aber habe zu ihnen gesagt: »Geht wieder zurück; denn unsere Väter haben das nicht angenommen.«[155]

Man hat gesagt, die russischen Chronisten hätten die Gesandtschaft Ol'gas absichtlich verschwiegen, weil sie später, nach dem Bruch zwischen der Ost- und der Westkirche im Jahre 1054, alle Beziehungen, die einmal zwischen Rußland und dem Westen bestanden, hätten vertuschen wollen. Aber wenn die Chronisten konkrete Kenntnisse von dieser Episode gehabt hätten, so hätten sie darüber ja gerade mit Behagen berichtet, hätten an ihr demonstrieren können, daß die Russen Annäherungsversuche aus dem Westen schon von jeher zurückgewiesen hätten.

Das Schweigen der Chronik ist viel einfacher dadurch zu erklären, daß die Chronisten gut hundert Jahre nach diesen Ereignissen nur wenig darüber wußten – nicht mehr, als daß irgendwann einmal auch Glaubensboten aus dem Westen gekommen waren, daß aber »unsere Väter das nicht angenommen haben«.

## Rückschritt unter Sswjatossláw (964–972)

Ol'ga hat ihren Wunsch, das Christentum als Staatsreligion in Rußland einzuführen, nicht verwirklichen können. Das lag aber, wie gesagt, nicht nur an dem mangelnden Entgegenkommen des byzantinischen Kaisers (das wir, es sei noch einmal gesagt, auch nur vermuten, nicht aber aus den Quellen belegen können), sondern auch daran, daß in Rußland selbst die Zeit dafür noch nicht reif war. Ol'gas Gemahl, Fürst Igor', war Heide geblieben. Auch ihr Sohn Sswjatosláw, der um 940 geboren war, war nicht geneigt, dem Beispiel seiner Mutter zu folgen und die Taufe zu empfangen. Die Nestorchronik berichtet, seine Mutter habe ihn dazu überreden wollen[156]:

> Er aber hörte nicht darauf, indem er sprach: »Wie kann ich allein eine fremde Religion annehmen? Und meine Gefolgschaft wird darüber lachen.« Sie aber sagte zu ihm: »Wenn du dich taufen läßt, werden alle das gleiche tun.« Er aber hörte nicht auf seine Mutter und übte die heidnischen Gebräuche.

Dieser vom Chronisten frei stilisierte Dialog dürfte die geschichtliche Wahrheit richtig wiedergeben. Die engere kriegerische Gefolgschaft des Kiewer Fürsten war dem Christentum gegenüber noch abweisend. Das Christentum schien diesen Männern nicht zu ihrem kriegerischen Beruf und zu ihrer Lebensweise zu passen: Sie würden »lachen« über einen Fürsten, der versuchen würde, die christlichen Tugenden zu üben. Und der persönliche Charakter Sswjatosláw war sogar besonders stark geprägt von den kriegerischen Tugenden und vom Willen zu Macht und Reichtum. In beispiellos kühnen Unternehmungen unterwarf er die slawischen Stämme im Nordosten des Kiewer Reiches bis zur Wolga hin, zerstörte 965 das Reich der Chasaren, besiegte im Bündnis mit dem byzantinischen Kaiser die Bulgaren an der Donau, wollte sich dann aber für dauernd in dem eroberten Land festsetzen. Erst der überlegenen Kriegskunst der Byzantiner unterlag er (Juli 971)[157]. Er mußte Bulgarien räumen und wurde bei der Heimfahrt nach Rußland an den Stromschnellen des Dnepr von den Petschenegen aufgehalten und schließlich (im Frühjahr 972) getötet. Der Petschenegenfürst ließ den Schädel Sswjatossláws zu einem Pokal umschmieden, »und sie tranken aus ihm«[158].

Der Vertrag, den Sswjatossláw bei seiner Kapitulation in Bulgarien im Juli 971 unterzeichnen mußte, enthält wieder eine Schwurformel, die sich aber in charakteristischer Weise von der des Vertrages von 944 unterscheidet. Sswjatossláw schwört[159]:

> Wenn wir aber [etwas] von dem hier zuvor Gesagten nicht halten – ich und die mit mir und die unter mir sind –, so wollen wir verflucht sein von dem Gott, an den wir glauben (an Perún und an Wólos, den Gott des Viehs), und wir wollen gelb werden wie Gold und wollen niedergehauen werden von unserer eigenen Waffe. Dessen sollt ihr gewiß sein, wie ich es jetzt euch gegenüber vollzogen habe und wie wir auf diesem Pergament aufgeschrieben und mit unseren Siegeln gesiegelt haben.

Der Schwur wird nur nach dem heidnischen »Gesetz« geleistet; anscheinend gibt es in der engeren Umgebung des Fürsten keine Christen.

## JAROPÓLK (972–980) BEGÜNSTIGT DAS CHRISTENTUM

Die Nestorchronik berichtet unter dem Jahr 970[160], Sswjatossláw habe noch zu seinen Lebzeiten, ehe er zu seinem letzten Feldzug nach Bulgarien aufbrach, seinen Sohn Jaropólk in Kiew als seinen Statthalter eingesetzt, den zweiten Sohn, Olég, im Lande der Derewljanen (nordwestlich von Kiew, im Pripet-Gebiet), Wladímir (oder Wolodímer[161]) in Nówgorod am Ilmensee, im Norden des Reiches.

Der russische Norden war damals vom Christentum in viel geringerem Maße berührt als der Süden mit Kiew als Zentrum. Nówgorod hatte auch viel engere Beziehungen zu Schweden, das zu dieser Zeit ebenfalls noch heidnisch war.

Nach dem Tode des Vaters standen die drei Brüder sich mißtrauisch gegenüber. Jeder mußte fürchten, daß die anderen danach trachteten, die Herrschaft über ganz Rußland, wie ihr Vater sie innegehabt hatte, an sich zu reißen.

Der rein machtpolitische Gegensatz wurde vielleicht noch dadurch verschärft, daß Wladímir von einer anderen Mutter stammte als seine Brüder. Sie hieß Malúscha und war »Beschließerin« oder »Schlüsselbewahrerin« (russ. »Ključnica«) der Ol'ga gewesen, offenbar eine nicht voll ebenbürtige Nebenfrau Sswjatossláws[162]. Als Wladímir später die Tochter des Fürsten von Pólozk, Rogned', zur Frau begehrte, ließ diese antworten: »Ich will dem Sohn der Magd nicht die Schuhe ausziehen, sondern ich will den Jaropólk.«[163] Wladímir, hierüber tief gekränkt, zieht gegen Pólozk, tötet den Vater und zwei Brüder der Rogned' und nimmt sie, offenbar mit Gewalt, zur Frau. Diese grausame Brautwerbungsgeschichte mag sagenhaft ausgeschmückt sein, aber ihr historischer Kern liegt doch wohl in der Tatsache, daß die Verschiedenheit der Abstammung bei dem Konflikt zwischen den Brüdern eine Rolle spielte.

Das Wort »Magd« oder »Sklavin« ist im Munde der Rogned' auch absichtlich beleidigend gemeint. Nach dem Bericht der Chronik war Malúscha die Schwester des Dobrýna, der später Statthalter in Nówgorod wurde, und sie beide waren Kinder des »Málok von Ljúbetsch«[164], offenbar auch eines bekannten Mannes (vielleicht war er Kommandant der wichtigen Festung Ljúbetsch, oberhalb von Kiew am Dnepr gelegen). Es mag sein, daß die Hauptfrau Sswjatossláws, die Mutter von Jaropólk und Olég, aus dem warägischen Adel stammte, dagegen die Mutter Wladímirs aus dem slawischen Adel. Das könnte auch erklären, warum Jaropólk und Olég dem Christentum anscheinend näher standen als (zunächst) Wladímir.

Zunächst kam es allerdings zwischen den verhältnismäßig nahe beieinander wohnenden leiblichen Brüdern Jaropólk und Olég zum Konflikt, offenbar aus nichtigem Anlaß. Die sagenhafte Überlieferung läßt den Streit zwischen ihnen aus einem Jagdzwischenfall entstehen, und sie läßt den Sieger, Jaropólk, weinen über den Tod des besiegten und im Kampf getöteten Bruders[165].

Jaropólk und Olég sind nicht getauft worden, aber sie scheinen dem Christentum nahe gestanden zu haben. Es besagt noch nicht allzu viel, daß wir von Jaropólk hören[166]:

Jaropólk hatte eine Griechin zur Frau. Und sie war Nonne gewesen. Denn sein Vater Sswjatossláw hatte sie [aus Bulgarien] mitgebracht und hatte sie Jaropólk zur Frau gegeben um der Schönheit ihres Antlitzes willen.

Gewiß konnten christliche Frauen bedeutenden Einfluß auf ihre noch nicht getauften Männer haben, aber ein sicherer Schluß läßt sich nicht ziehen. Natürlich wird auch die Großmutter Ol'ga versucht haben, ihren Enkeln das Christentum nahezubringen. Aber auch darüber teilen die Quellen nichts mit. Interessant aber ist eine Nachricht, die wir unter dem Jahre 1044 in der Nestorchronik lesen[167]:

Man grub die zwei Fürsten Jaropólk und Olég, die Söhne des Sswjatossláw, aus und taufte ihre Gebeine und legte sie nieder in der Kirche der heiligen Gottesmutter.

Als Jarossláw der Weise im Jahre 1044 die Gebeine seiner Oheime, die viele Jahrzehnte vorher im Bruderkampf umgekommen waren, taufen und in die Kiewer Zehntkirche überführen ließ, wo auch sein Vater Wladímir begraben war, ist er offenbar der Meinung gewesen, daß Jaropólk und Olég in ihrem Herzen bereits Christen waren und daß nur ihr früher und gewaltsamer Tod sie daran gehindert hat, sich taufen zu lassen; denn die Gebeine der übrigen verstorbenen Mitglieder der Dynastie, wie etwa die des »alten Oleg« (gestorben 912) oder die seines Urgroßvaters Igor', die bewußt Heiden gewesen waren, ließ er ja nicht taufen und überführen. Die nachträgliche Taufe Verstorbener mutet uns seltsam an, aber sie ist doch auch nicht etwas völlig Einzigartiges. Der Apostel Paulus erwähnt, daß in Korinth eine solche Praxis geübt wurde (1. Kor 15, 29), und er tadelt es nicht einmal. Auf dem 3. Konzil in Karthago (397) wurde die Totentaufe verboten (Kanon VI), aber der Brauch hat sich trotzdem gehalten und konnte immer von neuem entstehen[168].

Außer diesen russischen Quellen gibt es auch wieder einige Nachrichten aus westlichen, lateinischen Quellen, die auf freundliche Einstellung Jaropólks zum Christentum schließen lassen[169].

Otto der Große feierte kurz vor seinem Tode (7. Mai 973), am 23. März 973, das Osterfest in Quedlinburg. Darüber berichtet der Mönch Lambert von Hersfeld, der in den Jahren 1078/79 eine Weltchronik geschrieben hat, folgendermaßen[170]:

Dorthin kamen Gesandte sehr vieler Völker, das heißt: der Römer, der Griechen, der Beneventer, der Italiener, der Ungarn, der Dänen, der Slawen, der Bulgaren und der Russen mit reichen Geschenken.

Da andere Chronisten, die über diesen Empfang berichten, die Russen nicht erwähnen, bleibt ein gewisser Zweifel, ob damals wirklich auch russische Gesandte nach Quedlinburg gekommen sind[171].
Jedenfalls ergab sich bald darauf ein Anlaß zu intensiveren Berührungen zwischen Rußland und dem Deutschen Reich. 974, ein Jahr nach dem Tod seines Vaters, hatte Kaiser Otto II. sich gegen eine Koalition des bayrischen Herzogs Heinrichs des Zänkers mit den Fürsten von Böhmen und Polen zu behaupten. Er suchte und fand in diesem Krieg die Hilfe des Kiewer Fürsten Jaropólk. Besiegelt wurde dieses Bündnis durch einen 976/77 geschlossenen Ehevertrag, nach welchem Jaropólk eine Enkelin Ottos des Großen, Richlint, heiraten sollte. Diese Ehe kam nicht zustande, weil Jaropólk im Jahre 980 im Konflikt mit seinem Bruder Wladímir getötet wurde. Voraussetzung einer solchen Eheschließung war, daß Jaropólk zuvor getauft wurde.
So bestätigt sich die Vermutung, daß Jaropólk sich hat taufen lassen wollen, aus zwei sehr verschiedenen Quellen.
Die gleiche politische Konstellation, die zu dem (nicht verwirklichten) Plan einer dynastischen Verbindung zwischen Jaropólk und den höchsten Kreisen des deutschen Adels geführt hat, hat vielleicht die Eheschließung zwischen Wladímir und einer Tschechin bewirkt, von der die Nestorchronik unter dem Jahr 980 berichtet[172]. Da Jaropólk auf der Seite des Kaisers gegen die bayrisch-tschechisch-polnische Koalition stand, kann sein feindlicher Bruder sich mit den Tschechen gegen ihn verbündet und dies Bündnis durch eine Eheschließung bekräftigt haben[173]. Hier dürfte die Eheschließung aber nicht die Taufe zur Voraussetzung gehabt haben; denn vorläufig stand Wladímir offenbar noch fest auf der Seite des Heidentums.

## Wladímir als Kämpfer für das Heidentum

Im Jahre 977 hatte Jaropólk seinen Bruder Olég besiegt und war dadurch Herrscher über den ganzen Süden des Reiches geworden. Die Nestorchronik berichtet nun weiter[174]:

> Als Wolodímer in Nówgorod hörte, daß Jaropólk den Olég getötet hatte, fürchtete er sich und floh über das Meer [über die Ostsee, nach Schweden], und Jaropólk setzte seine Statthalter in Nówgorod ein, und er herrschte allein in ganz Rußland.

Aber, so erzählt die Chronik weiter, Wladímir kehrt aus Schweden zurück mit einem angeworbenen Heer warägischer Krieger, gewinnt zunächst Nówgorod zurück. Hier sammelt er weitere Krieger aus den slawischen und finnischen Stämmen Nordrußlands und zieht nach Süden. Jaropólk wird besiegt. Er ist bereit, sich seinem Bruder zu unterwerfen; aber dieser läßt ihn ermorden, als er, um den Akt der Unterwerfung zu vollziehen, zur Tür hereintritt[175].

Beim Kampf um Kiew kamen Wladímir gewisse Sympathien zustatten, die ihm in der warägischen Umgebung Jaropólks und wohl auch in der slawischen Bevölkerung der Stadt entgegengebracht wurden. Es kann sein, daß Wladímir im Kampf mit seinem Bruder auch die religiöse Frage ins Spiel gebracht, daß er gegenüber der dem Christentum freundlichen Politik Jaropólks das Heidentum begünstigt und dadurch die heidnisch eingestellten Kreise der Bevölkerung Kiews für sich gewonnen hat.

Jedenfalls hat er das Vielvölkerreich, das nun auch noch durch die religiöse Frage gespalten zu werden drohte, zunächst auf der Grundlage des Heidentums zu einigen versucht. Die Chronik berichtet[176]:

> Und Wolodímer begann allein in Kiew zu herrschen, und er stellte Götzenbilder auf dem Hügel auf, außerhalb des Palasthofes: einen Perún aus Holz, und sein Haupt aus Silber, und der Schnurrbart aus Gold, und Chors, Dáshbog und Stríbog und Ssímargl und Mokosch. Und sie opferten ihnen und nannten sie Götter. Und sie führten ihre Söhne und Töchter heran und

opferten sie den Dämonen, und sie befleckten die Erde durch ihre Opfer, und die russische Erde und jener Hügel wurde mit Blut befleckt. Aber der ganz gütige Gott will nicht den Tod der Sünder; auf jenem Hügel steht jetzt eine Kirche des heiligen Basilius, wie wir später erzählen werden; jetzt kehren wir zum Vorliegenden zurück. Wolodímer aber setzte Dobrýna, seinen Oheim, in Nówgorod ein; und Dobrýna kam nach Nówgorod und errichtete ein Götzenbild über dem Flusse Wólchow, und es opferten ihm die Menschen von Nówgorod als einem Gotte.

In diesem Bericht ist manches nach dem Vorbild biblischer Erzählungen stilisiert[177]. Menschenopfer werden bestimmt nicht eine so allgemeine Erscheinung gewesen sein, wie es nach diesem Bericht aussieht. Aber immerhin weiß die Nestorchronik (unter dem Jahr 983) doch von *einem* Fall eines solchen Opfers zu erzählen[178]: Nach einem siegreichen Feldzug läßt Wladímir eine »Opferfeier für die Götzen« [»potrebu kumirom«] veranstalten. Durchs Los soll entschieden werden, »welcher Knabe und welches Mädchen den Göttern geschlachtet werden soll«. Das Los fällt auf den Sohn eines Warägers, »der von den Griechen gekommen war und zum christlichen Glauben hielt«. Der Waräger verweigert die Hingabe seines Sohnes. Die Götzen seien nicht Götter, sondern vergängliches Holz. »Gott ist *einer;* der, dem die Griechen dienen und vor dem sie sich verneigen.« Man versucht, den vom Los bezeichneten Sohn des Warägers mit Gewalt zu greifen; bei dem Handgemenge werden Vater und Sohn getötet.
Der Chronist weiß die Namen der beiden Märtyrer nicht zu nennen[179], auch nicht die Stelle anzugeben, wo man sie beerdigt hat. Dieses Nicht-Wissen zeugt eher *für* als *gegen* die Geschichtlichkeit der Erzählung. Wäre sie reine Erfindung, so hätte man auch die fehlenden Einzelheiten hinzuerfinden können. Andererseits wird man den Einzelfall nicht verallgemeinern dürfen. Aber die Erzählung zeigt doch, daß die heidnische Religion die vom Staat geförderte und gepflegte war, daß die gewiß nicht wenigen Christen ihren Glauben leben konnten, solange sie nicht in einem Einzelfall in Konflikt mit der herrschenden Religion kamen, daß es zwischen der heidnischen und der christlichen Bevölkerung aber doch latente

Spannungen gab, die sich gelegentlich in tumultuarischer Weise entladen konnten. Sehr bezeichnend ist auch, daß die ersten uns bekannten Märtyrer Waräger waren, »die von den Griechen gekommen waren«.

Außer durch den Kult heidnischer Götter wird Wladímir (vor seiner Taufe) auch durch ausschweifendes sexuelles Leben charakterisiert. Gewiß übertreibt die Chronik, wenn sie ihm außer fünf Ehefrauen 800 Beischläferinnen zuschreibt[180]. Auch hier wird der Chronist nach biblischem Vorbild stilisiert haben. Er vergleicht den *heidnischen* Wladímir mit dem König Salomo; aber der Vergleich wird zugunsten Wladímirs gewendet. »Denn Salomo war zuerst weise, aber am Ende ging er zugrunde; dieser aber war ein Unwissender, aber zuletzt fand er Rettung.« Sicher ist, daß Wladímir vor seiner Taufe in Polygamie lebte und sich wohl auch sonst in sexueller Hinsicht wenig Beschränkungen auferlegt hat.

## DIE WELTGESCHICHTLICHE BEDEUTUNG DER BEKEHRUNG WLADÍMIRS

Die Bekehrung Wladímirs zum Christentum war ein Ereignis von weltgeschichtlicher Bedeutung. Durch sie wurde das größte Volk Osteuropas der östlichen Kirche, deren Mittelpunkt Konstantinopel war, eingegliedert, und Rußland schloß sich damit, anders als seine westlichen Nachbarn (Polen, Böhmen, Ungarn), dem osteuropäisch-byzantinischen Kulturkreis an. Seit dem Schisma von 1054 wurde die Grenze der kirchlichen Jurisdiktionsgebiete zu einer Grenze von Konfessionen, die sich in zunehmendem Maße einander entfremdeten. Jenseits dieser Grenze wurde die völkervereinende Liturgie- und Literatursprache des Abendlandes, das Lateinische, nicht mehr verstanden. Seine Stelle vertraten hier zwei Sprachen: das Griechische und das Kirchenslawische. Wohl gab es im alten Rußland nicht wenig Menschen, die Griechisch konnten, aber ihre Zahl war doch gering, gemessen an der der Kenner der lateinischen Sprache im Westen, wo jeder Priester Latein können mußte. Noch geringer als die Kenntnis des Griechischen in Rußland war die des Kirchenslawischen in Griechenland. So wuchsen die byzantinische und die ostkirchlich-kirchenslawische Kultur doch nicht zu einer so innigen Einheit zusammen wie die der romanischen und die der germanischen Völker im Bereich der römischen Kirche.

Die kirchenslawische Liturgie- und Literatursprache hatte für die slawischen Völker große Vorteile. Der Gottesdienst war verständlich; nationale Literatur konnte sich rasch entwickeln, da sie in einer Sprache geschrieben wurde, die mit der gesprochenen Sprache nahe verwandt war. Man brauchte nicht erst eine völlig fremde Sprache zu lernen, wenn man Literatur lesen oder selbst literarisch tätig sein wollte.

Allerdings hatte dies auch einen Nachteil. Zum Lateinlernen brauchte man Schulen. Kirchenslawisch verstehen konnte man, wenn man sich nur hineinhörte in die etwas fremdartig klingende, aber doch nahe verwandte Sprache; diese Sprache lesen und schreiben zu lernen – dafür genügte ein elementarer Unterricht, wie ihn auch der Vater dem Sohn erteilen konnte. So gab es in Rußland nicht jene zwingende Notwendigkeit für die Ausbildung eines höheren Unterrichtswesens wie im Abendland.

Die weitverbreitete Kenntnis des Latein ermöglichte hier einen unmittelbaren Zugang zur Literatur und Kultur der Antike. In Rußland war man für das Kennenlernen der griechischen Literatur auf Übersetzungen angewiesen. Aber übersetzt wurden aus dem Griechischen ins Kirchenslawische nicht Platon und Aristoteles, nicht Herodot und Thukydides, nicht Homer und Sophokles (von Aristophanes ganz zu schweigen), sondern fast ausschließlich christliche, überwiegend theologische Literatur.

Dadurch ist das russische Mittelalter so sehr viel frommer, so sehr viel weniger weltlich als die mittelalterliche Kultur des Westens.

Erst sehr spät und allmählich wurde die Kultur- und Konfessionsgrenze zwischen Rußland und Westeuropa durchlässiger. Als dann aber Peter der Große um 1700 das Fenster nach Europa gewaltsam aufstieß, brach die Kultur der Aufklärung auf das unvorbereitete und geistig ungeschützte Rußland so herein, daß die russische Kultur in jene Krise geriet, die Dostojewskij vielleicht am tiefsten gespürt und in seinen Werken gestaltet hat und die bis heute nachwirkt. Gleichzeitig hat die russische Kultur aber eben hierdurch ihre faszinierende Eigenart erhalten. Hätte Wladímir sich für das westliche Christentum entschieden, so wäre die Entwicklung ganz anders verlaufen. Rußland wäre uns kulturell vielleicht näher, vertrauter, aber der russischen Kultur würde vieles von dem fehlen, was uns an ihr besonders berührt.

Auch für die Östlich-orthodoxe Kirche hat die Tat Wladímirs unabsehbare Bedeutung gehabt. Ein halbes Jahrtausend lang haben die islamischen Türken fast das gesamte von orthodoxen Christen bewohnte Gebiet beherrscht. In dieser Zeit hatte die Orthodoxie allein an Rußland einen politischen und wirtschaftlichen Rückhalt, und sie hat dank dieses Rückhaltes überleben können. Seit der Taufe Wladímirs ist die Geschichte Rußlands nicht ohne die Orthodoxie und die Geschichte der Orthodoxie nicht ohne Rußland denkbar.

## DIE QUELLEN ÜBER DIE TAUFE WLADÍMIRS

Die historischen Quellen, die über dieses Ereignis berichten, fließen nicht so reich, wie es seiner weltgeschichtlichen Bedeutung entspricht. Die griechischen Chroniken schweigen fast vollständig darüber. Aus Rußland gibt es im wesentlichen vier Quellen. Die bekannteste von ihnen ist in der Nestorchronik unter den Jahren 986–988 enthalten; sie schildert die Bekehrung Wladímirs als Ergebnis missionarischer Bemühungen, die von vier verschiedenen Hochreligionen ausgehen: dem Islam, dem chasarischen Judentum, dem westlichen und dem östlichen Christentum, wobei die ostkirchliche, von Konstantinopel ausgehende Mission den Sieg errungt. Ich nenne sie die »Missionslegende«. Die zweite Quelle nenne ich die Korssuner Legende. Sie bringt die Bekehrung und die Taufe Wladímirs in Verbindung mit seinem Feldzug nach Kórssun' (Cherson) auf der Krim im Jahre 989. Auch diese Legende ist in der Nestorchronik enthalten, unter dem Jahr 988. Sie ist hier eingeschoben in den Bericht der Missionslegende. Die dritte russische Quelle über die Taufe Wladímirs ist enthalten in der Lobrede, die der Kiewer Metropolit Ilarión um das Jahr 1050 zu Ehren Wladímirs in der Kiewer Zehntkirche gehalten hat. Die vierte russische Quelle ist die »Gedächtnis- und Preisrede« auf Wladímir, deren Entstehungszeit nicht sicher zu ermitteln ist.

Außer diesen russischen Quellen gibt es noch eine sehr wichtige, im fernen Antiochia in arabischer Sprache im 11. Jahrhundert geschrieben. Seltsamerweise gibt diese sprachlich, räumlich und zeitlich so fern liegende Quelle den Ablauf der Ereignisse am besten wieder.

Ehe wir selbst versuchen, diesen Ablauf der Ereignisse darzustellen, wollen wir hören, was die fünf Quellen uns mitteilen.

## 1. Die Missionslegende

Nach dieser Legende, die in der Nestorchronik unter den Jahren 986–988 enthalten ist[181], hat sich die Christianisierung Rußlands folgendermaßen abgespielt:

Im Jahre 986 kommen Bulgaren von der mittleren Wolga, die sich seit Anfang des 10. Jahrhunderts zum Islam bekannten, zu Wladímir und versuchen, ihn zu ihrem Glauben zu bekehren. Wladímir weist sie ab, besonders weil Muhammed das Weintrinken verbiete. Er sagt: »Den Russen ist es Freude, zu trinken; ohne das können wir nicht sein.« Dann kommen »Deutsche von Rom« und empfehlen ihm ihren Glauben. Aber Wladímir antwortet: »Geht wieder nach Hause; denn unsere Väter haben das nicht angenommen.« Vielleicht wird damit angespielt auf die oben erwähnte Missionsgesandtschaft der Westkirche aus dem Jahr 961, die der Vater Wladímirs in der Tat »nicht angenommen« hatte. Dann kommen die chasarischen Juden. Sie verleumden die christliche und preisen ihre eigene Religion. Aber Wladímir fragt sie: »Wo ist euer Land?« Sie müssen zugeben, daß sie durch Gottes Zorn aus dem Land der Verheißung vertrieben sind. Wladímir weist sie zurück, weil er nicht glauben kann, daß Gott ihr »Gesetz« (d. h. ihre Religion) liebt, wenn er ihnen ihr Land genommen und sie über die Welt hin zerstreut hat. Schließlich kommen die Griechen. Ein griechischer »Philosoph« belehrt Wladímir ausführlich über die Mängel der anderen Religionen und schildert ihm die Heilsgeschichte von der Erschaffung der Welt bis zur Himmelfahrt Jesu Christi und zur Aussendung der Jünger in die Welt. Er beendet seine Rede folgendermaßen[182]:

»[. . .] Da die Apostel aber lehrten über den Erdkreis hin, zu glauben an Gott, deren Lehre auch wir Griechen angenommen haben, glaubt [jetzt] auch der ganze Erdkreis an ihre Lehre. Gott hat aber einen Tag gesetzt, an welchem er vom Himmel herabkommen und richten wird über Lebende und Tote und einem jeden vergelten nach seinen Werken: den Gerechten das Himmelreich und unaussprechliche Schönheit, Freude ohne Ende, und nicht zu sterben in Ewigkeit, den Sündern Feuerqual und nicht-schlafender Wurm, und die Qual wird kein Ende haben. Dies aber werden die Qualen sein [für den], der nicht glaubt an unseren Herrn Jesus Christus: Sie werden gequält sein im Feuer – welcher sich nicht taufen läßt.« Und nachdem er so gesprochen hatte, zeigte er dem Wolodímer einen Vorhang, auf dem das Gericht des Herrn gemalt war. Und er zeigte ihm auf der rechten Seite die Gerechten, wie sie in Fröhlichkeit zum Paradies hinzutreten, aber zur Linken die Sünder, in die Qual gehend. Wolodímer aber seufzte auf und sagte: »Wohl denen zur Rechten; aber wehe denen zur Linken!« Der aber sagte: »Wenn du mit den Gerechten auf der rechten Seite willst zu stehen kommen, so laß dich taufen!« Wolodímer aber ließ es ruhen in seinem Herzen und sagte: »Ich warte noch ein wenig«, da er nachforschen wollte über alle Religionen. Wolodímer schenkte ihm viele Gaben und entließ ihn mit großer Ehre.

Wladímir schiebt also die Entscheidung hinaus und berät sich mit seinen Bojaren und den Ältesten der Städte. Die geben ihm den Rat, er solle eine Gesandtschaft herumschicken und den Glauben der einzelnen Völker an Ort und Stelle erkunden lassen. Sie fahren zunächst zu den islamischen Bulgaren an die Wolga; dann zu den Deutschen nach Westeuropa und von dort zu den Griechen nach Konstantinopel. (Von den jüdischen Chasaren ist nicht mehr die Rede.) Nach Kiew zurückgekehrt, berichten sie von ihren Erfahrungen. Bei den Muhammedanern fühlen sie sich abgestoßen: »Es ist keine Freude bei ihnen, sondern Trauer und großer Gestank. Nichts Gutes ist ihr Gesetz.« Bei den Deutschen ist es nicht viel besser. »Wir sahen sie viele Gottesdienste halten in den Kirchen, aber keinerlei Schönheit haben wir gesehen.« Aber über den

Gottesdienst der Griechen sagen sie: »Wir wissen nicht, ob wir im Himmel waren oder auf der Erde. Denn einen solchen Anblick und eine solche Schönheit gibt es nicht auf Erden. Dort weilt Gott bei den Menschen, und ihr Gottesdienst ist besser als der aller anderen Länder; denn wir können diese Schönheit nicht vergessen.«
Daraufhin sagen die Bojaren zu Wladímir: »Wenn die griechische Religion schlecht wäre, so hätte deine Großmutter Ol'ga sie nicht angenommen, die doch weiser war als alle anderen Menschen.« Nun erklärt sich Wladímir bereit, die Taufe nach dem Ritus der Ostkirche zu empfangen.

Von diesem Punkt an hat der Chronist Missionslegende und Kórssun'-Legende ineinandergeschoben, und wir müssen die Chronikerzählung auflösen in ihre beiden Bestandteile[183]. Danach dürfte die Missionslegende folgendermaßen weitergegangen sein: Nachdem Wladímir sich entschlossen hat, das Christentum in seiner östlichen Ausprägung anzunehmen, schickt er nach Konstantinopel und bittet um die Hand der byzantinischen Prinzessin Anna, der Schwester der beiden Kaiser Basileios II. und Konstantin VIII. Die antworten ihm[184]:

»Nicht geziemt es sich für Christen, [ihre Frauen] heidnischen Männern zur Ehe zu geben. Wenn du dich taufen lässest, so empfängst du dieses [die Erfüllung deines Wunsches], und du erlangst das Himmelreich und wirst unser Glaubensgenosse sein. Wenn du dieses nicht tun willst, so können wir dir unsere Schwester nicht zur Frau geben.« Als Wolodímer dieses hörte, sagte er zu denen, die von den Zaren gesandt waren: »Sprecht zu den Zaren also: ›Ich will mich taufen lassen; denn ich habe schon vor diesen Tagen euer Gesetz erforscht, und lieb ist mir euer Glaube und euer Gottesdienst, von dem mir die von uns ausgesandten Männer berichtet haben.‹« Und da dies die Zaren hörten, wurden sie erfreut, und sie sandten zu Wolodímer und ließen ihm sagen: »Laß dich taufen, und dann senden wir unsere Schwester zu dir.« Wolodímer aber sagte: »Die mit eurer Schwester kommen, sollen mich taufen.« Und die Zaren gehorchten und sandten ihre Schwester und einige Würdenträger und Priester.

Die Gesandtschaft mit der Prinzessin Anna und den Würdenträgern
und Priestern kommt nach Kiew, Wladímir wird getauft, danach
wird die Eheschließung vollzogen.
Nachdem Wladímir die Taufe empfangen hat, läßt er die Götter-
bilder stürzen, die er acht Jahre zuvor hatte aufrichten lassen, und
läßt anschließend die ganze Bevölkerung von Kiew taufen[185]:

Danach sandte Wolodímer durch die ganze Stadt und ließ sagen:
»Wenn sich morgen einer nicht einfindet am Flusse, er sei reich
oder arm oder besitzlos oder Knecht, der soll mir zuwider sein.«
Da die Leute dies hörten, gingen sie hin mit Freuden und
sprachen: »Wenn dies nicht gut wäre, so hätten der Fürst und die
Bojaren das nicht angenommen.« Am anderen Morgen aber ging
Wolodímer hinaus an den Dnepr mit den Priestern der Zarin, und
das Volk kam zusammen ohne Zahl, und sie stiegen hinein ins
Wasser und standen, die einen bis zum Halse, die anderen bis zur
Brust, die jungen aber [standen näher] am Ufer, andere [standen],
indem sie Kinder hielten; die Erwachsenen aber wateten [tiefer
in den Fluß hinein]. Die Priester aber verrichteten stehend die
Gebete. Und es war, dies zu sehen, eine große Freude im Himmel
und auf Erden: so viele gerettete Seelen! Der Teufel aber sprach
stöhnend: »O weh mir, daß ich von hier verjagt werde. Hier
nämlich meinte ich, eine Wohnstatt zu haben, weil es hier keine
apostolischen Lehren gibt und man Gott nicht kennt. Ich aber
freute mich ihres Dienstes, mit dem sie mir dienten. Und siehe,
schon bin ich besiegt von Unverständigen, nicht aber von
Aposteln und von Märtyrern. Schon werde ich nicht mehr
herrschen in diesen Landen.«

Da das Volk aber getauft war, gingen sie, ein jeder in sein Haus.
Wolodímer aber war froh, daß er Gott erkannt hatte, er selbst und
sein Volk, und er schaute auf zum Himmel und sprach: »Christus,
Gott, der du Himmel und Erde geschaffen hast, schaue herab auf
dieses neue Volk und gib ihnen, o Herr, daß sie dich erkennen, den
wahren Gott, wie die christlichen Länder dich erkannt haben, und
befestige unter ihnen den rechten und unverfälschten Glauben.
Und mir hilf, o Herr, gegen den Feind, den Widersacher, daß ich,
auf dich und deine Macht vertrauend, seine Ränke besiege.«

## 2. Die Kórssuner Legende

Im Jahre 989 unternahm Wladímir einen Feldzug gegen die griechische Stadt Cherson (russ. Kórssun') auf der Krim. Er mußte die Stadt einige Zeitlang belagern, konnte sie dann aber (zwischen dem 7. April und 27. Juli 989) erobern[186]. Dieser Feldzug steht in seltsamem Gegensatz zu den guten Beziehungen, die in dieser Zeit zwischen Konstantinopel und Kiew herrschten. Das Geschichtsbewußtsein der Russen suchte die beiden fast gleichzeitigen, gleich bedeutsamen und doch irgendwie widersprüchlichen Geschehnisse miteinander zu verknüpfen, zueinander in Beziehung zu setzen, und es tat das in der »Kórssuner Legende« auf folgende Weise[187]:

Der noch heidnische, Byzanz gegenüber feindlich eingestellte Wladímir unternimmt einen Feldzug gegen Kórssun', die ihm am nächsten liegende griechische Stadt, die Griechen schließen sich in der Stadt ein, Wladímir umzingelt die Stadt und schlägt sein Lager auf, einen Pfeilschuß von der Stadt entfernt. In der Stadt ist ein Verräter; er schießt mit einem Pfeil eine Botschaft an Wladímir, durch die er mitteilt, wo die unterirdische Wasserleitung verläuft, die die Stadt mit Wasser versorgt. Wladímir läßt an dieser Stelle nachgraben, er unterbricht die Wasserleitung, und die Stadt muß sich ergeben, weil »die Leute vor Durst ermatten«. Aus der eroberten Stadt schickt Wladímir Botschaft an die beiden »Zaren« in Konstantinopel und wirbt, wie in der Missionslegende, um die Hand ihrer Schwester, aber jetzt nicht bittend, sondern fordernd und drohend[188]:

> »Siehe, eure berühmte Stadt habe ich genommen. Ich höre aber, daß ihr eine Schwester habt, die Jungfrau ist. Wenn ihr sie mir nicht zur Ehe gebt, so werde ich eurer Stadt tun, wie ich dieser getan habe.«

Die Zaren sind traurig. Sie bitten ihre Schwester, die Forderung zu erfüllen. Aber die will nicht: »Besser wäre es mir, hier zu sterben!« Die Brüder sagen ihr:

> Wenn nun durch dich Gott das russische Land zur Buße bekehrt? Und das griechische Land befreist du von schlimmem Krieg.

Siehst du, wieviel Böses die Russen den Griechen angetan haben?
Und nun, wenn du nicht gehst, so werden sie uns das gleiche
antun.«

Weinend verabschiedet sie sich, weinend fährt sie über das Meer
nach Kórssun'. Von den Bürgern der Stadt wird sie feierlich
empfangen. Nun erkrankt Wladímir an den Augen und weiß nicht,
was er tun soll. Die Prinzessin sendet zu ihm und läßt ihm sagen:

»Willst du von dieser Krankheit frei werden, so laß dich taufen.
Tust du das nicht, so wirst du nicht davon frei werden.«

Wladímir folgt dem Rat, läßt sich von dem Bischof von Kórssun'
taufen, und als dieser ihm bei der Taufe die Hand auflegt, wird er
wieder sehend. Nun lassen sich auch viele aus seiner Umgebung
taufen.

Er heiratet die Prinzessin und gibt als Morgengabe die Stadt
Kórssun' den Griechen zurück, nimmt aber von dort Reliquien,
Kultgeräte, Ikonen, Kunstgegenstände und Priester mit nach Kiew.

Das Ende dieser Korssuner Legende wird dem der Missionslegende
ähnlich gewesen sein: die Vernichtung des heidnischen Kultes in
Kiew und die Taufe der Kiewer Bevölkerung.

Der Feldzug Wladímirs nach Kórssun', seine Taufe und seine
Verschwägerung mit dem byzantinischen Kaiserhaus sind die drei
historischen Fakten, aus denen die sagenbildende Phantasie diese
ansprechende Erzählung geschaffen hat.


### 3. Der Lobpreis Ilaríóns

Um 1050 hielt der spätere Kiewer Metropolit Ilarión in der
Zehntkirche in Kiew eine Lobrede auf Wladímir, der damals schon
etwa 35 Jahre tot war. Ziel seiner Rede ist, zu zeigen, daß Wladímir
der Heiligsprechung wert sei[189].

Um dies nachzuweisen, erzählt Ilarión das Leben, besonders aber
die Geschichte der Bekehrung und Taufe Wladímirs, wobei er in
rhetorisch höchst wirksamer Weise all das hervorhebt, was dem Ziel
der Rede (Nachweis der Heiligkeit) dient und alles verschweigt, was
diesem Ziel abträglich sein könnte. Er sagt[190]:

Geboren als Ruhmreicher von Ruhmreichen, als Edler von Edlen, wuchs unser Kagan Wolodímer auf, erstarkte von Kindesbeinen an, ja vielmehr wurde Mann in Stärke, nahm zu an Kraft, schritt fort in Mannhaftigkeit und Verstand, wurde Alleinherrscher seines Landes, unterwarf sich die Länder ringsum, die einen im Frieden, die ungehorsamen aber durchs Schwert. Und da er also lebte in seinen Tagen und sein Land weidete mit Gerechtigkeit, Mannhaftigkeit und Verstand, da kam auf ihn die Heimsuchung des Höchsten, da schaute auf ihn das allerbarmende Auge des gütigen Gottes, und in seinem Herzen strahlte auf das Verständnis, zu verstehen die Eitelkeit des Truges der Götzenverehrung und zu suchen den einen Gott, der alle Kreatur geschaffen hat, die sichtbare und die unsichtbare. Ja, und mehr: Immerdar kam ihm zu Gehör von dem frommen griechischen Lande, dem christusliebenden und glaubensstarken, wie man dort den einen Gott in drei Hypostasen ehrt und anbetet; wie unter ihnen [den Griechen] Krafttaten geschehen und Zeichen und Wunder; wie die Kirchen voll sind von [heiligem] Volk, wie die Dörfer und Städte fromm sind, wie alle eifrig sind im Gebet, alle [im Gottesdienst] vor Gott stehen. Und da er dies hörte, erwachte in seinem Herzen der Wunsch und entbrannte er im Geiste [vor Verlangen], daß [auch] er Christ werde und sein Land – wie es denn auch geschah, da es Gott also gefiel und er die Menschennatur liebte. So entkleidete sich denn unser Kagan, und mit den Kleidern legte er ab das Verderben des alten Menschen, schüttelte ab den Staub der Ungläubigkeit, stieg ein in das heilige Bad und wurde wiedergeboren von Geist und von Wasser. Auf Christus getauft, zog er Christus an und stieg heraus aus dem Bade in weißer Gestalt – ein Sohn der Unvergänglichkeit, ein Sohn der Auferstehung war er geworden und hatte einen Namen empfangen, der ewig ist und namhaft von Geschlecht zu Geschlecht: Wassilij, mit dem er eingeschrieben ist in die Bücher des Lebens, in der oberen Stadt, dem unvergänglichen Jerusalem.

Da dies aber geschehen war, ließ er hier nicht enden das Werk seiner Frömmigkeit, offenbarte er nicht nur hiermit die Liebe zu Gott, die in ihm war, sondern wirkte mehr und gebot über sein ganzes Land hin, daß man sich taufen lasse auf den Namen des

Vaters und des Sohnes und des Heiligen Geistes und daß die
Heilige Dreifaltigkeit in allen Städten klar und lautstimmig
gepriesen werde und daß alle Christen seien, die Kleinen und die
Großen, die Sklaven und die Freien, die Jungen und die Alten,
die Bojaren und die einfachen Leute, die Reichen und die Armen.
Und da war auch nicht einer, der sich seinem frommen Befehl
widersetzt hätte. Und wenn jemand sich auch nicht aus Liebe
taufen ließ, so aus Furcht vor dem, der es gebot; denn seine
Frömmigkeit war mit Macht verbunden. Und zu *einer* Zeit
begann unser ganzes Land, Christus zu rühmen mit dem Vater
und dem Heiligen Geiste.

### 4. Die Gedächtnis- und Preisrede des Mönches Iákow

Dieses Werk eines uns sonst nicht bekannten »Mönches Iákow« ist
in der uns vorliegenden Form eine Kompilation, die wahrscheinlich
erst im 13. Jahrhundert zusammengestellt wurde, vielleicht aus
Anlaß der Heiligsprechung Wladímirs. Die Quellen des Werkes sind
die uns schon bekannten Chronikerzählungen über Ol'ga und
Wladímir[191]. Nur im dritten Teil enthält es eine Reihe von trocken
aneinandergereihten Daten, die in dieser Weise nicht auf die uns
vorliegende Fassung der Nestorchronik zurückgehen können.
Es heißt dort, Wladímir habe nach der Taufe noch 28 Jahre gelebt.
Dann heißt es weiter[192]:

> Im zweiten Jahr nach der Taufe ging er zu den Schwellen; im
> dritten Jahr nahm er die Stadt Kórssun'; im vierten Jahr gründete
> er die steinerne Kirche der heiligen Gottesmutter; im fünften Jahr
> gründete er [die Stadt] Perejassláwl'; im neunten Jahr gab der
> selige und christusliebende Fürst Wolodímer der Kirche der
> heiligen Gottesmutter den Zehnten von seinem Gut.

Da man im alten Rußland beim Angeben von Zeiträumen das Jahr
des Geschehens, von dem aus man rechnet (also hier das der Taufe
Wladímirs), meist mitzählte, ist das »zweite Jahr nach der Taufe«
nach unserer Ausdrucksweise das erste Jahr nach dem, in welchem
die Taufe stattgefunden hat. Ist das Taufjahr also das Märzjahr 987

(= 1. März 987 bis 29. Februar 988), so ist das »zweite Jahr nach der Taufe« das Märzjahr 988. In diesem Jahr also »geht Wladímir zu den Schwellen«, und im Märzjahr 989 nimmt er die Stadt Kórssun'.

Die größte Abweichung gegenüber der Chronikerzählung besteht darin, daß die Taufe hier dem Feldzug gegen Kórssun' um zwei Jahre vorausgeht. Diese Nachricht, die, wie wir sehen werden, großes Vertrauen verdient, kann der Mönch Iákow unmöglich aus der Chronikerzählung und natürlich auch nicht aus Ilarión übernommen haben. Er muß dafür also eine eigene Quelle gehabt haben, in der vielleicht auch nur in trockener Weise Daten wichtiger Ereignisse zusammengestellt waren. Auf die Frage, was mit dem »Gang zu den Schwellen« gemeint ist, werden wir zurückkommen.

## 5. Der Bericht des Yaḥjā von Antiochien

Yaḥjā war ein arabischer Christ, geboren um 980, wahrscheinlich in Ägypten (Kairo), von Beruf wahrscheinlich Arzt; seit 1015 lebte er in Antiochia in Syrien, das damals zum Byzantinischen Reich gehörte. Sein Geschichtswerk endet mit dem Jahre 1066. Er dürfte bald nach diesem Zeitpunkt gestorben sein. Sein Bericht schildert die Zusammenhänge zwischen dem politisch-militärischen Geschehen in Byzanz und der Taufe Rußlands klarer als alle anderen Quellen. Darum sei er hier vollständig wiedergegeben[193]:

> Bardas Phokas ging zu offener Rebellion über und ließ sich am Mittwoch, dem Feste Kreuzerhöhung, 14 Ailūl 1298 = 17 Ǧumādā 1377 zum Herrscher ausrufen. Er nahm das byzantinische Reichsgebiet bis Dorylaion und bis an das Ufer des [Mittel-]Meeres in Besitz, und seine Truppen drangen bis nach Chrysopolis vor. Seine Macht entwickelte sich bedrohlich, und Kaiser Basileios bekam Angst vor ihm, weil [Phokas'] Heere so stark waren und er [Basileios] von ihm besiegt worden war; [zudem] war ihm das Geld ausgegangen. So zwang ihn die Not, eine Gesandtschaft an den König der Russen, die doch seine Feinde waren, zu schicken, um von ihnen Hilfe in seiner

gegenwärtigen Lage zu erbitten. Dieser entsprach seinem
Wunsch, und sie kamen überein, sich zu verschwägern: Der
König der Russen heiratete die Schwester des Kaisers Basileios,
nachdem ihm zur Bedingung gemacht worden war, sich mitsamt
der übrigen Bevölkerung seines Landes, einem gewaltigen Volk,
taufen zu lassen. Die Russen bekannten sich nämlich noch nicht
zu einem [religiösen] Gesetz und glaubten nicht an eine Religion.
Kaiser Basileios schickte hernach Metropoliten und Bischöfe zu
ihnen, und sie tauften den Großfürsten mitsamt allen, die in seinen
Gebieten lebten. Er sandte auch seine Schwester zu ihm; sie hat
viele Kirchen im Lande der Russen gebaut. Als die Heiratsan-
gelegenheit zwischen ihnen geregelt war, trafen auch die
russischen Heere ein und vereinten sich mit den byzantinischen
Truppen des Kaisers Basileios. Sie alle wandten sich nach
Chrysopolis, um [dort] Bardas Phokas zu Wasser und zu Land
anzugreifen, und errangen einen Sieg über Phokas. Basileios
besetzte das Küstengebiet und bemächtigte sich der übrigen
Schiffe, die Phokas in seiner Hand gehabt hatte.

Der hier genannte Bardas Phokas war ein gefährlicher Usurpator,
der den jungen legitimen Kaisern Basileios II. und Konstantin VIII.
den Thron streitig machte. Das von Yaḥjā genannte Datum
entspricht dem 14. September 987. An diesem Tag also ließ Bardas
Phokas sich zum Kaiser ausrufen. Chrysopolis, das heutige Üsküdar
(Skutari), liegt gegenüber Konstantinopel auf der asiatischen Seite
des Bosporus.
Der »König der Russen«, zu dem Basileios um Hilfe schickt, ist
Wladímir. Daß die Russen zuvor seine Feinde gewesen seien, ist
wohl so zu verstehen, daß Wladímirs Vater, Sswjatossláw, in
Bulgarien gegen die Griechen gekämpft hatte.
Wenn Yaḥjā sagt: »Die Russen bekannten sich damals noch nicht
zu einem Gesetz«, so versteht er unter »Gesetz« eine Religion mit
einem heiligen Buch, also Judentum, Christentum und Islam. Den
Sieg über die Truppen des Usurpators bei Chrysopolis errang
Basileios II. Anfang 989 mit Hilfe des russischen Hilfskorps.
Über den Feldzug Wladímirs gegen Kórssun' sagt Yaḥjā nichts.
Aber ein zeitgenössischer griechischer Chronist vom Ende des

10. Jahrhunderts, Leon Diakonos, erwähnt die Eroberung Kórssun's durch die »Tauroskythen« einmal nebenbei[194], aber doch so, daß wir sie auf die Zeit zwischen dem 7. April und 27. Juli 989 datieren können.

## DER WERT DER QUELLEN ÜBER DIE TAUFE WLADÍMIRS

Dies sind die wichtigsten Quellen, die uns über die Ereignisse, die unmittelbar zur Taufe Wladímirs und damit zur Taufe Rußlands geführt haben, berichten. Wie sind diese Quellen zu beurteilen? Welchen Informationswert haben sie für uns?

Die ersten beiden, in der Nestorchronik enthaltenen Erzählungen über die Taufe Rußlands – die Missionslegende und die Kórssuner Legende – haben sich dem Geschichtsbewußtsein der russischen Gläubigen und überhaupt des russischen Volkes tief eingeprägt. Die Taufszene, wie sie hier geschildert ist, ist auf dem Sockel des Denkmals Wladímirs des Heiligen in Kiew (errichtet 1853) in Erz gegossen, und die Worte seines Gebetes sind über dem Portal der ihm geweihten Kiewer Kathedrale (errichtet 1862–1882) in Stein gemeißelt.

Die beiden Erzählungen sind Legenden – der Erbauung der Leser dienende Berichte über ein heilsgeschichtlich bedeutsames, geraume Zeit zurückliegendes historisches Ereignis. Die Missionslegende folgt dem literarischen Muster anderer Missionserzählungen, in denen verschiedene Religionen miteinander darum wetteifern, einen Menschen – oft ist es ein Fürst – oder ein Volk für eine neue Religion zu gewinnen. Das traditionelle Schema der Missionserzählung ist in unserer Legende auf die konkreten historischen Gegebenheiten angewandt. Der Erzähler sieht richtig, daß es in der Umgebung des noch heidnischen russischen Reiches verschiedene Hochreligionen gab, die sich gewiß auch in der einen oder anderen Weise bemüht haben, den russischen Fürsten und durch ihn das ganze russische Volk für ihre Religion zu gewinnen; richtig sieht er auch, daß es in Rußland selbst verschiedene Bestrebungen gab, sich der einen oder der anderen Religion anzuschließen; endlich hat er auch darin recht, daß in diesem Wettstreit der Religionen das griechische Christentum aus geopolitischen und kulturellen Gründen von Anfang an die besten Erfolgsaussichten hatte. Die politischen Ereignisse, die zur Taufe Wladímirs geführt haben, versteht er nicht in ihrem konkreten Zusammenhang zu erfassen; aber er weiß doch, daß die Verschwägerung Wladímirs mit dem byzantinischen Kaiserhaus dabei eine wichtige Rolle gespielt hat. Er stellt sich die Beziehungen zwischen Rußland und Byzanz vielleicht etwas zu freundlich vor, wenn er meint, daß die einfache Bitte Wladímirs um die Hand der byzantinischen Prinzessin ausgereicht hätte, sie zu gewähren.

Die Kórssuner Legende stellt den Feldzug Wladímirs, der in der Missionslegende gar nicht erwähnt wurde, in den Mittelpunkt. Der *Heide* Wladímir unternimmt einen Feldzug gegen eine griechische Stadt. Aber was von Menschen böse begonnen wurde, wird von Gott zu einem guten Ende geführt. Der Feldzug gegen Kórssun' bringt den siegreichen Wladímir, ohne daß dieser das bezweckt hatte, in Verbindung mit dem Christentum. Der Opfergang der byzantinischen Prinzessin führt »das russische Land zur Buße«. Und endgültig wird der heidnische Heerführer durch eine von Gott gesandte Krankheit und wunderbare Heilung zum Glauben geführt. So folgt die Kórssuner Legende dem Muster der Legenden des Georgios von Amastris und des Stephan von Ssúrosh. Richtig sieht sie (gegenüber der Missionslegende), daß auch der Feldzug gegen Kórssun' in der Geschichte der Taufe Rußlands eine Rolle gespielt hat. Aber während die Missionslegende die Beziehungen zwischen Rußland und Byzanz etwas zu freundlich sieht, sieht die Kórssuner Legende sie zu feindlich. Genügte dort die *Bitte* Wladímirs, um die Hand der Prinzessin zu erlangen, so bedarf es hier einer massiven Drohung. Allzu viele konkrete Informationen dürfen wir von der Kórssuner Legende (eben weil es eine *Legende* ist) nicht erwarten. Dasselbe gilt für die dritte der russischen Quellen – die Predigt des Ilarion. Man hat oft behauptet, bei Ilarion werde die Geschichte der Bekehrung Wladímirs völlig anders erzählt als in der Chronik. Gewiß spricht Ilarion anders über Wladímirs Leben als die Chronik. Sein Götzendienst und seine sexuellen Ausschweifungen werden nicht erwähnt – aber wer erwähnt so etwas auch in einer Lobrede, noch dazu, wenn es deren Ziel ist, den Gepriesenen als der Heiligsprechung würdig zu erweisen? An anderen Stellen seiner

Rede zeigt Ilarion übrigens auch, daß er sehr wohl von Sünden weiß, die Wladímir vor seiner Taufe begangen hat. Ilarion zeigt es dort, wo es in seine Argumentation hineinpaßt. Der großartigen Wortfülle Ilarions kann man nur wenige konkrete Informationen entnehmen: nur die Tatsache, *daß* Wladímir getauft worden ist und daß er in der Taufe den Namen Wassílij erhalten hat und daß er auch die Bevölkerung seines Landes hat taufen lassen. Andererseits hat Ilarion die geistesgeschichtliche, heilsgeschichtliche Bedeutung der Wende, die Wladímir herbeigeführt hat, mit einer Beredsamkeit und Überzeugungskraft darzustellen vermocht wie niemand vor und niemand nach ihm.

Das Gedächtnis- und Preiswort des Mönches Iákow, gering in seiner literarischen Qualität, dürftig im Inhalt, ist für uns wertvoll durch einen einzigen Hinweis, den es offenbar aus einer alten, uns sonst nicht bekannten Quelle schöpft, vielleicht einer Vorform der Nestorchronik: durch die trockene chronologische Mitteilung, daß Wladímir im ersten Jahr nach seiner Taufe »zu den Schwellen ging« (was das bedeutet, werden wir hören) und daß er im zweiten Jahr nach seiner Taufe die Stadt Kórssun' erobert hat. Die historische Unzuverlässigkeit der Kórssuner Legende (nach der Wladímir erst lange *nach* der Einnahme von Kórssun' getauft worden ist) wird hiermit durch eine altrussische Quelle bestätigt.

Endlich der Bericht des Yaḥjā. Hier spüren wir schon am Stil, daß wir es nicht mit frommer Legende, nicht mit rhetorischem Lobpreis, nicht mit trockener Chronographie, sondern mit echter Geschichtsschreibung zu tun haben. Die Ereignisse werden uns in chronologisch genauer und richtiger Folge und in ihrer kausalen Verknüpfung knapp, aber inhaltsreich geschildert.

Wie können wir uns nun aufgrund dieser Quellen den Gang der Ereignisse vorstellen?

Die größte Schwierigkeit machte bisher der Feldzug Wladímirs gegen das griechische Cherson (Kórssun'). Wie sollte erklärt werden, daß mitten zwischen Akten der gegenseitigen Annäherung und Hilfeleistung plötzlich eine so feindliche Handlung stattfand wie die Eroberung und Ausplünderung der zum byzantinischen Reich gehörenden Stadt auf der Krim? Im Grunde wußten sich die Historiker bis in unsere Zeit hier ebensowenig Rat wie die Verfasser der Kórssuner Legende im 11. Jahrhundert, und sie suchten das Rätsel schließlich auf die gleiche Weise zu lösen: daß nämlich erst durch die Eroberung Kórssun's Wladímir seine Forderung nach der Hand der byzantinischen Prinzessin Anna, der purpurgeborenen Schwester der regierenden Kaiser, durchgesetzt habe. Aber während die Kórssuner Legende gesagt hatte, daß Wladímir erst nach der Eroberung Kórssun's mit seiner Forderung und Drohung an die Kaiser herangetreten sei, wußten die Historiker unserer Zeit aus Yaḥjā, daß die Verhandlungen zwischen Konstantinopel und Kiew lange vorher begonnen hatten, daß sie von den byzantinischen Kaisern ausgegangen waren und daß das Eheversprechen schon lange vor dem Feldzug Wladímirs gegen Kórssun' gegeben worden war. So half man sich aus der Verlegenheit, indem man sagte: Als der Kaiser mit Hilfe des von Wladímir gesandten Hilfskorps über seinen Gegner Bardas Phokas gesiegt hatte, hatte er keine Neigung mehr, das in der Not gegebene außergewöhnliche Versprechen zu erfüllen. Jetzt habe Wladímir durch den Feldzug gegen Kórssun' die Erfüllung des geschlossenen Vertrages erzwungen.

Aber eine solche Annahme verbietet sich schon aus chronologischen Gründen. Denn die Gefahr war für die byzantinischen Kaiser erst am 13. April 989 vorüber – dem Tage der Schlacht bei Abydos am Hellespont (den Dardanellen), in der der Usurpator sein Leben verlor. Kórssun' aber wurde im gleichen Jahr vor dem 27. Juli von Wladímir erobert. Schon Monate vorher muß er zu diesem Feldzug aufgebrochen sein, als die Lage der byzantinischen Kaiser noch sehr unsicher war.

Es kommt hinzu: Wenn die Kaiser nach ihrem Sieg über den Usurpator ihr Versprechen wirklich nicht hätten erfüllen wollen, so hätte die Eroberung der Stadt auf der Krim sie dazu kaum zwingen können. Die Drohung Wladímirs, von der uns die Kórssuner Legende erzählt und die – in etwas abgewandelter Form – bis in unsere Zeit ernst genommen worden ist, daß er, falls er die Hand der Prinzessin nicht bekomme, der Kaiserstadt am Bosporus das gleiche Schicksal zuteil werden lasse wie der entlegenen Kolonialstadt auf der Krim – diese Drohung ist in Wirklichkeit naiv. Wenn die Kaiser die tödliche Gefahr, die ihnen von dem Usurpator drohte, überwunden hatten, so waren sie wohl imstande, die stärkste Festung der Welt gegen einen Angriff Wladímirs zu verteidigen.

Erst in unseren Tagen hat der polnische Historiker Andrzej Poppe auf die Frage nach dem Sinn des Feldzugs gegen Kórssun' eine befriedigende Antwort gefunden und dadurch die unklaren und zum Teil widersprüchlichen Nachrichten in einen vollständigen, sachlich überzeugenden und chronologisch stimmigen Zusammenhang gebracht[195]. Danach sind die Ereignisse so abgelaufen, wie nun dargestellt werden soll.

## DER ABLAUF DER EREIGNISSE

Am 17. August 986 erlitt der damals 28 Jahre alte byzantinische Kaiser Basíleios II. an der sogenannten Trajanischen Pforte in der Nähe des heutigen Sofija eine schwere Niederlage im Kampf gegen die Bulgaren. Durch diese Niederlage des beim Hochadel unbeliebten jungen Kaisers ermutigt, erhoben sich nacheinander zwei Usurpatoren aus dem Hochadel gegen den Kaiser und gewannen die Herrschaft über ganz Kleinasien (zuerst Bardas Skleros, dann Bardas Phokas). In dieser außen- wie innenpolitisch äußerst bedrängten Situation wendet sich Basíleios an Wladímir. Im Juli oder August 987 kommt eine mit weitgehenden Vollmachten ausgestattete byzantinische Gesandtschaft an den Kiewer Hof. Folgender Vertrag wird geschlossen: Wladímir verspricht dem bedrängten Kaiser militärische Hilfe in doppelter Form: erstens durch Entsendung eines starken militärischen Hilfskorps nach Konstantinopel; und zweitens durch einen von Wladímir selbst zu unternehmenden Feldzug gegen die griechische Stadt Cherson (Kórssun') auf der Krim, die zu dem Usurpator, der die ganze Südküste des Schwarzen Meeres beherrschte, übergegangen war. Als Gegenleistung verspricht der Kaiser dem bisher noch heidnischen Fürsten die Hand seiner Schwester Anna zur Ehe. Eine solche Ehe ist aber nur möglich, wenn Wladímir sich verpflichtet, sich und sein Land taufen zu lassen. Die russische Kirche, die damit als Staatskirche begründet wird, soll als eigene Metropolie unmittelbar dem Patriarchen von Konstantinopel unterstellt werden.

Beide Seiten sind an der Erfüllung dieses Vertrages ungewöhnlich stark interessiert. Für den Kaiser und seine Dynastie hängt davon das Überleben in tödlicher Bedrohung ab; für Wladímir eine ganz außerordentliche Rangerhöhung im internationalen Ansehen seines Reiches und seiner eigenen Person – wurde ihm doch durch die Heirat mit der purpurgeborenen byzantinischen Prinzessin Anna eine Ehre zuteil, nach der der größte christliche Herrscher des Westens, Otto d. Gr., für seinen Sohn Otto II. vergeblich gestrebt hatte[196].

So läßt Wladímir sich nach einem etwa drei Monate dauernden Katechumenat (September bis Dezember 987) wahrscheinlich am Epiphaniasfest (6. Januar), dem großen Tauftag der Ostkirche, im Jahre 988 taufen; der christliche Name, den er in der Taufe erhält, ist Wassílij = griech. Basíleios, der Name des großen Kirchenvaters, dessen Fest am 1. Januar gefeiert wird, und gleichzeitig der Name des Kaisers, seines künftigen Schwagers, der wohl auch sein Taufpate ist. Mit Wladímir zusammen oder kurz nach ihm werden die ihn umgebenden Großen seines Reiches, sofern sie nicht schon vorher Christen waren, getauft. Damit hat Wladímir die unabdingbare persönliche Voraussetzung für die Ehe mit der purpurgeborenen byzantinischen Prinzessin erfüllt. Sobald im Frühjahr (ab April) der Dnepr und das Schwarze Meer für die russischen Schiffe befahrbar werden, schickt er eine Abteilung von 6000 Kriegern nach Konstantinopel, die dort im Juni 988 eintreffen. Etwa gleichzeitig geht von Konstantinopel aus die Gesandtschaft nach Kiew, die dem neugetauften Fürsten die kaiserliche Braut zuführt. Wladímir geht ihr mit einer kleinen Heeresabteilung »bis zu den Schwellen«, d. h. bis zu den Stromschnellen, des Dnepr entgegen – einerseits, um sie zu ehren, andererseits, um die Gesandtschaft vor einem Überfall durch die Petschenegen zu schützen. Im Sommer 988 ist die Trauung. Kurz vorher, nach Poppes Meinung zu Ostern (in diesem Jahr am 8. April) oder zu Pfingsten (27. Mai), findet die Massentaufe der Kiewer Bevölkerung im Dnepr statt. Da der Dnepr am 8. April noch sehr kalt ist, dürfte von diesen beiden Terminen der zweite der wahrscheinlichere sein. Aber vielleicht hat man wegen der Wetterabhängigkeit dieses Ereignisses auch irgendein anderes Datum im Sommer 988 gewählt. Die Massentaufe selbst ist ein gut verbürgtes

Ereignis. Die Nestorchronik berichtet für die zweite Hälfte des 11. Jahrhunderts von einem Mönch des Kiewer Höhlenklosters namens Jeremija, »welcher sich der Taufe des russischen Landes erinnert« habe[197]. Auf die Erzählung dieses Jeremija könnte der anschauliche Bericht der Chronik über die Taufe im Dnepr zurückgehen.

Zu dieser Zeit war das 6000 Mann starke Expeditionskorps der Russen in Konstantinopel angekommen. Nach langer und sorgfältiger Vorbereitung seines nun aus Kriegern sehr verschiedener Herkunft bestehenden Heeres wagt Basíleios im Januar oder Februar 989 von Konstantinopel aus einen überraschenden Angriff auf das Heer des Usurpators Bardas Phokas, das auf der gegenüberliegenden Seite des Bosporus, bei Chrysopolis, dem heutigen Skutari, lagert, und gewinnt die Schlacht. Etwa zehn Wochen später, am 13. April 989, besiegt er in einer zweiten Schlacht, bei Abydos, auf dem asiatischen Ufer der Dardanellen, seinen Gegner, der während der Schlacht, anscheinend durch Herzschlag, stirbt.

Wenig später vollendet sich das Schicksal der Stadt Cherson (Kórssun'), die zu dem Usurpator gehalten hatte. Vertragsgemäß hatte Wladímir seit Herbst 988 die Stadt belagert. Nach dem Tod des Usurpators war weiterer Widerstand sinnlos, die Stadt ergab sich Wladímir, dem Verbündeten des rechtmäßigen Kaisers, zwischen dem 7. April und dem 27. Juli 989[186]. Trotzdem gab es bei der Einnahme Brände und Plünderungen; auch wurden Kunstwerke und kirchliche Heiligtümer wie Reliquien und Ikonen nach Kiew entführt. Vielleicht hatte Basíleios selbst schon im voraus in die Plünderung der abtrünnigen Stadt eingewilligt. Cherson hat sich von dieser Katastrophe nie vollständig erholen können. Es hat den vorherigen Zustand der Blüte nicht mehr erreicht.

Soweit der Ablauf der dramatischen Ereignisse, die zur Taufe Rußlands geführt haben, nach der überzeugenden Rekonstruktion Andrzej Poppes. Überzeugend ist aber auch die Gesamtbeurteilung, die Poppe dem Geschehen gibt. Es war seiner Meinung nach nicht ein historischer Zufall (die vorübergehende Notsituation der byzantinischen Kaiser), der das Christentum nach Rußland gebracht, und auch nicht eine spontane missionarische Initiative, die die Wende herbeigeführt hat. In mehr als hundertjähriger Entwicklung war das Christentum allmählich nach Rußland eingedrungen. Bei der ersten Bekehrung (um das Jahr 865) hatte sich offenbar nur die Staatsspitze, die von ihrer Umgebung auch durch die Sprache getrennt war, taufen lassen, und bei einem Wechsel der Regierung, der die Staatsspitze zum Opfer fiel, ging das Christentum unter, weil es nicht im Volk verwurzelt war. Dann drang es, vom Beginn des 10. Jahrhunderts an, über die warägische Kaufmannschaft, die in Griechenland in häufige und intensive Beziehung mit dem Christentum kam, und über warägische Soldaten, die im byzantinischen Heer dienten, in etwas breitere Schichten ein und berührte die Regierungsspitze (in der Person der Fürstin Ol'ga) gleichsam von unten her. Das Ansehen, das Ol'ga genoß, gab dem Christentum, zu dem sie sich bekannte, einen geachteten Platz im Bewußtsein der staatstragenden Schichten; ihr Versuch, das ganze Reich zum Christentum zu führen, scheiterte. Dies lag vielleicht zum Teil daran, daß man in Byzanz nicht bereit war, ihr hinsichtlich des hierarchischen Status der russischen Kirche in angemessener Weise entgegenzukommen; zum anderen Teil daran, daß das kriegerische Ethos des Fürsten, seiner Gefolgschaft und der höchsten Führungsschicht den kultischen und ethischen Forderungen des Christentums weitgehend noch ablehnend gegenüberstand. Aber seit Ol'ga Christin geworden war, war es doch in das politische Bewußtsein der staatstragenden Schichten des Kiewer Reiches getreten, daß das Christentum als Staatsreligion Rußlands in Betracht kam. Wenn ihr Sohn Sswjatossláw ihr auf dem Weg zur Taufe nicht folgte, so scheint sie ihre Enkel, deren Erziehung ihr während der langen Kriegszüge Sswjatossláws anvertraut war, im christlichen Sinne beeinflußt zu haben. Bei Wladímir trat dieser Einfluß zunächst zurück, als er im Norden (in Nówgorod), fern von dem schon weitgehend christianisierten Kiew, wieder stärker ins heidnische Milieu eintauchte. Als er dann gegen seinen schon fast christlichen Halbbruder Jaropólk kämpfte, ihn besiegte und ihn schließlich ermorden ließ, hat er seinem Kampf gegen ihn und dem Neubau des Staates einen bewußt heidnischen Charakter gegeben. Aber er mußte dann wohl bald einsehen, daß er mit dieser Religionspolitik auf die Dauer keinen Erfolg haben würde. Im Inneren gelang es ihm nicht, das schon tief eingewurzelte Christentum auszuschalten und sein Reich durch

Wiederherstellung des Heidentums religiös zu einen; in der Außenpolitik mußte er sehen, daß sein Bekenntnis zur heidnischen Religion ihn und sein Reich zunehmend isolierte. Nicht nur in Byzanz, dem Hauptbezugspunkt der russischen Außen- und Handelspolitik, war er als Heide kein vollwertiger Bündnispartner, sondern das gleiche galt auch in der islamischen Welt, die ihm im Raum um das Kaspische Meer begegnete, und in Westeuropa. Auch die westlichen Nachbarländer Rußlands entschieden sich in dieser Zeit eins nach dem anderen für das Christentum.

So war es, wie gesagt, kein historischer Zufall, daß Wladímir sich und sein Land im Jahre 988 taufen ließ, sondern das natürliche Ergebnis einer langen historischen Entwicklung. Die Zeit war reif geworden für die historische Entscheidung, die er getroffen hat, und darum war sie von Bestand.

Daß er sich, anders als seine westlichen Nachbarn, nicht für das westliche (lateinische), sondern für das östliche (griechische) Christentum entschieden hat, ergab sich beinah mit Notwendigkeit aus der geographischen Lage seines Landes. Seit 150 Jahren war das Kiewer Reich zuerst militärisch, dann auch ökonomisch und kulturell ganz auf Konstantinopel hin ausgerichtet. Daß diese Stadt, auch abgesehen von geopolitischen Gegebenheiten, auf Rußland eine größere kulturelle und religiöse Ausstrahlungskraft ausübte als Westeuropa, wird in der Erzählung der Nestorchronik über den Empfang der russischen Gesandten in Konstantinopel in höchst anschaulicher und überzeugender Weise deutlich[198].

Rußland wurde, dem Zeitpunkt seiner Bekehrung entsprechend, als 60. dem Patriarchen von Konstantinopel unterstehende Metropolie in die Rangliste der byzantinischen Hierarchie eingeordnet[199]. Die häufig vertretene These, daß es ursprünglich zu Rom gehört habe und daß es erst im Jahre 1037 zu einer Metropolie der griechischen Kirche geworden sei, kann heute als überholt und widerlegt gelten; ebenso andere Behauptungen dieser Art: daß es anfangs einem Erzbischof in Bulgarien oder dem Bischof von Cherson oder noch anderen hierarchischen Zentren unterstellt gewesen sei[200].

Der erste Kiewer Metropolit, der uns seinem Namen nach bekannt ist, ist der unter Kaiser Basileios II. aus Sebaste im kleinasiatischen Armenien nach Kiew versetzte Metropolit Theophylakt[201]. Nach

der ansprechenden Vermutung Andrzej Poppes war er auch der
Führer der diplomatischen Mission, die im Jahre 987 im Auftrag des
Kaisers nach Kiew gegangen ist und den Vertrag zwischen ihm und
Wladímir ausgehandelt hat. Es war nur natürlich, daß der Kaiser ihn,
der aus Treue zum Kaiser seinen kleinasiatischen Bischofssitz
verloren und der die Verhandlungen mit Wladímir so geschickt
geführt und dadurch dem Kaiser Leben und Thron gerettet hatte,
zum ersten Inhaber des neu errichteten Metropolitenstuhls in Kiew
gemacht hat und daß Wladímir ihn, den er nun schon kannte, hier
gern als Metropoliten aufgenommen hat.
Mit der Taufe Wladímirs und der Bevölkerung von Kiew war die
Christianisierung Rußlands nicht abgeschlossen; eigentlich hatte sie
jetzt erst recht begonnen. Aber eine große Wende war doch
eingetreten – vielleicht die größte geistige Wende, die Rußland je
erlebt hat. In unübertrefflicher Weise hat Ilarión, der erste Russe
auf dem Stuhl der Kiewer Metropoliten, sie ein halbes Jahrhundert
später, um 1050, in einer Lobrede auf Wladímir umschrieben[202]:

> »Da begann zu *einer* Zeit unser ganzes Land, Christus zu rühmen
> mit dem Vater und dem Heiligen Geiste. Da begann das Dunkel
> der Götzenverehrung von uns zu weichen, und die Morgenröte
> der Frömmigkeit erschien. Da ging die Finsternis des Dämonen-
> dienstes unter, und die Sonne des Evangeliums bestrahlte unser
> Land; Götzentempel wurden zerstört, und Kirchen wurden
> errichtet; Idole wurden zerbrochen, und Ikonen der Heiligen
> erschienen; die Dämonen flohen davon, das Kreuz heiligte die
> Städte; die Hirten der geistlichen Schafe Christi, die Bischöfe,
> traten vor den heiligen Altar, darbringend das unblutige Opfer;
> Priester und Diakone und der ganze Klerus schmückten die
> heiligen Kirchen und kleideten sie in Schönheit; die Trompete der
> apostolischen Predigt und der Donner des Evangeliums erfüllten
> alle Städte mit ihrem Klang; Weihrauch, Gott dargebracht,
> heiligte die Luft; Klöster erhoben sich auf den Bergen, Mönche
> erschienen; Männer und Weiber, klein und groß – das ganze Volk
> füllte die heiligen Kirchen und rühmte, indem es sprach: ›Einer
> ist heilig, einer der Herr, Jesus Christus, zum Ruhme Gottes des
> Vaters.‹«

# ANMERKUNGEN

1 Die »Nestorchronik« ist die wichtigste erzählende Quelle für die altrussische Geschichte bis zum Anfang des 12. Jahrhunderts. Allerdings ist sie für die älteste, hier von uns behandelte Zeit nicht immer zuverlässig, da sie mehr als hundert Jahre nach der Taufe Wladimirs und mehr als zweihundert Jahre nach dem Eintritt der Russen in die Geschichte entstanden ist. Wir zitieren die Chronik nach den Jahresartikeln, wobei wir aber die Jahreszahlen aus der byzantinischen Ära (»nach Erschaffung der Welt«) in unsere Zählung (nach Christi Geburt) übertragen. Der altrussische Text ist zugänglich in »Nestorchronik« (s. Literaturverzeichnis); die für unser Thema wichtigen Erzählungen in deutscher Übersetzung in »Hld. u. Hl.«.

2 »Erstberufen«, weil er nach Joh.Evg. 1, 40 als erster Jünger von Jesus berufen wurde. – Zur frühen Christianisierung der Länder um das Schwarze Meer s. G. v. Rauch.

3 Zuerst literarisch gestaltet von dem Mönch Epiphanios, wahrscheinlich zwischen 800 und 813, vielleicht aber auch erst eine Generation später (s. Beck, S. 513). Abgedruckt ist die Andreas-Vita des Epiphanios in Migne, PG, 120, 216–260.

4 Sinópe, in Kleinasien, am Südufer des Schwarzen Meeres, galt als Missionsstützpunkt des Apostels Andreas. Kórssun', das griechische Chérson, war eine griechische Kolonie an der Südspitze der Krim, nahe bei dem heutigen Ssewastópol'. Es ist zu unterscheiden von der heutigen russischen Stadt Cherson, nahe der Mündung des Dnepr, die von dem alten Cherson (= Kórssun') auf der Krim etwa 300 km entfernt ist.

5 »Slowenen« hießen die Angehörigen des ostslawischen Stammes, der im Norden Rußlands, am Ilmensee, südlich des heutigen Leningrád, siedelten. Der Verfasser der Erzählung über die Reise des Apostels Andreas weiß selbst, daß zu dessen Zeiten weder die Stadt Kiew im Süden noch Nówgorod im Norden existierten.

6 »Waräger« (altrussisch »varjazi«) ist die altrussische Bezeichnung der Skandinavier.

7 A. Possevinus, »Moskovia«, Antwerpen, 1587, S. 139 f.

8 Golubinskij, S. 28.

9 Nestorchronik, Spalte 83; Hld. u. Hl., S. 33.

10 Genaueres darüber s. in Müller, 1974.

11 So sein Lobpreis in der Liturgie der Ostkirche an seinem Festtag, dem 30. November.

12 Nestorchronik, Sp. 7.

13 Migne, PG, 120, Sp. 244.

14 Ebenda, Sp. 229.

15 Bei Epiphanios ebenda; Nestorchronik, Sp. 8.
16 Nestorchronik, Sp. 19; Hld. u. Hl., S. 11.
17 Vasmer, Bd. 2, S. 551.
18 Ich folge hier den überzeugenden Ausführungen von Gottfried
   Schramm, 1981.
19 Vita Methodii, Kap. 5.
20 Annales Bertiniani, S. 19 f.
21 Der lateinische Text lautet: »atque auxilium per imperium suum toto
   habere possent«. Statt »toto« müßte es eigentlich heißen »totum«.
   Vielleicht ist dieses Wort aber als »tuto« oder »tutum« zu lesen und
   auf »auxilium« zu beziehen und bedeutet dann »sicheres Geleit durch
   sein Reich«.
22 Vasmer, Bd. 1, S. 499.
23 Jarossláw der Weise (gestorben 1054) wird von Ilarión (um 1050),
   Jarossláws Enkel Olég (gest. 1115), noch im Igorlied (nicht früher als
   1185) so bezeichnet.
24 Siehe dazu Schramm, 1981, und Sacharov, 1980, S. 44.
25 Brondsted, S. 38.
26 Schramm, 1981, S. 18.
27 Nestorchronik, Sp. 37 f.; Hld. u. Hl., S. 14.
28 S. zu diesem Problem Delehaye.
29 Über Amastris und Georgios s. Beck, S. 168, 512, 517; BHG, Bd. 1,
   S. 211.
30 Vasilevskij, Bd. 2, S. 66–71, Kap. 43–46.
31 Daß die Russen schon »dem Namen nach« »verderbenbringend« seien,
   ist eine Anspielung auf die Kapitel 38 und 39 des Propheten Ezechiel,
   wo für die Endzeit ein gewaltiger Kriegsmann namens Gog als
   Herrscher über ein im äußersten Norden der Erde liegendes Land
   »Ros« prophezeit wird, der die Länder des Südens mit Krieg
   überziehen werde. Wegen der Namensgleichheit brachte man in
   Byzanz das aus dem Norden plötzlich auftauchende kriegsstarke und
   grausame Volk der »Ros« (die »Russen«) in Verbindung mit der
   Weissagung des Alten Testaments. – Mit dem Wort »Propontis« (=
   »Vormeer«) wird sowohl das Marmarameer wie auch das Asowsche
   Meer bezeichnet, beides »Vormeere« des Schwarzen Meeres, beide von
   ihm durch eine Meerenge getrennt. Es kann sich hier nur um das
   Asowsche Meer handeln. Das im folgenden genannte »andere
   Meeresufer« ist dann das Südufer des Schwarzen Meeres, an dem
   Amastris lag.
32 »Taurus« ist die Krim, ihre Bewohner wurden von den Griechen
   »Taurer« genannt. Herodot (Buch 4, Kap. 103) berichtet über sie, daß
   sie Schiffbrüchige töten; vgl. die Iphigeniesage in Goethes »Iphigenie
   auf Tauris«. Die Griechen nannten die Russen auch »Tauroskythen«;
   darum bringt der Erzähler sie mit den alten Taurern zusammen.

33 Gemeint ist Georgios von Amastris, der damals nicht mehr lebte.

34 Also einen einheimischen Griechen.

35 Griechisch »ὦ οὗτος«. Vielleicht entstellt, statt »antwortete dieser«?

36 So Hélène Ahrweiler.

37 Zu Ssúrosh s. SSS, Bd. 5, S. 468 f.

38 Vasil'evskij, Bd. 3, S. 95 f. Zu Stephan BHG, Bd. 2, S. 254; Beck, S. 512.

39 Zu Kórssun' s. Anm. 4. Kertsch, am Ostende der Krim, an der Meerenge, die das Asowsche mit dem Schwarzen Meer verbindet. Ssúrosh liegt etwa in der Mitte zwischen den beiden Städten.

40 Bojaren waren im alten Rußland Angehörige des Hochadels, Berater und Begleiter des Fürsten.

41 SSS, Bd. 1, S. 163. – Manche Forscher haben gemeint, der Name Brawlin sei entstellt aus »Wladimir« oder »Wolodimer« und die Nachricht beziehe sich auf Wladimir d. Hl., der im Jahre 989 einen Feldzug gegen Kórssun' unternommen hat. Aber das ist wenig wahrscheinlich; man müßte dann die Abfassungszeit der griechischen Vita um 150 Jahre später ansetzen.

42 Dvornik, »The Photian Schism«.

43 Vgl. etwa Rudolf Graber.

44 Ostrogorsky, 1952, S. 181.

45 Der griechische Text bei Carolus Müller, S. 162–173; deutsche Übersetzung von Graber, 1960; englische von Mango, S. 74–110.

46 Die sogenannte »Brüsseler Chronik«, bei Cumont, S. 33.

47 Michael III. (842–867) war, als sein Vater starb, erst fünf Jahre alt. Seine Mutter führte die Regentschaft bis 856, also nicht 4, sondern 14 Jahre lang; von 856–866 regierte er allein; am 26. Mai 866 ernannte er Basileios zum Mitkaiser; dieser ließ ihn in der Nacht vom 23. zum 24. September 867 ermorden (Ostrogorsky, 1952, S. 187).

48 Carolus Müller, S. 162; Mango, S. 82; Graber, S. 19. Die Numerierung der Textabschnitte nach Carolus Müller.

49 Hier liegt die Vorstellung zugrunde, daß Blitze dadurch entstehen, daß Wolken sich aneinander reiben, vgl. Aristophanes, »Die Wolken«. Die ganze Einleitung der Predigt entfaltet das Bild eines furchtbaren Unwetters.

50 Im Text »θάλασσα« = »Meer«. Ich lese mit Mango »χάλαζα« = »Hagelsturm«.

51 Nach Jeremia 27, 22 (= 50, 22). Photios zitiert das Alte Testament nach der Septuaginta, der griechischen Übersetzung des Alten Testamentes. Die Kapiteleinteilung ist dort manchmal eine andere als in der hebräischen Bibel und in den deutschen Übersetzungen. Wenn die Stellenangaben abweichen, gebe ich zuerst die der Septuaginta, dann die der hebräischen Bibel.

52 Jerem. 27, 25 (= 50, 25).

53 Jerem. 6, 22.

54 Jerusalem wird hier genannt, weil die von Photios zitierten Worte des
   Propheten Jeremia sich auf Jerusalem beziehen; andererseits sieht
   Photios in Konstantinopel tatsächlich das »neue Jerusalem«, die
   Hauptstadt des neuen Gottesstaates, des christlichen Universalreiches.
55 Jerem. 6, 22–24.
56 Jerem. 6, 24–25.
57 Psalm 79, 5 (= 78, 5).
58 Photios meint: Der Angriff der Araber, der dem Überfall der Russen
   vorangegangen war, hat die byzantinische Militärmacht vollständig
   beansprucht. Der Kaiser ist mit dem ganzen Heer gegen die Araber
   unterwegs.
59 Die Skythen waren in der Antike die Bewohner der Länder nördlich
   des Schwarzen Meeres. Mit diesem Namen bezeichneten die Griechen
   auch später die Einwohner dieser Länder. Man kann nicht sagen, ob
   Photios mit diesem Namen »Russen« oder Slawen meint (Mango,
   S. 89, Anm. 43).
60 Ps. 79, 14 (= 80, 14).
61 Gemeint ist der Prophet Jeremia, vor allem wegen der »Klagelieder«,
   die von der kirchlichen Tradition ihm zugeschrieben werden. Die
   folgenden Sätze bringen die Auffassung von Konstantinopel als dem
   neuen Jerusalem zu klassischem Ausdruck.
62 »bewohnte Erde«, griech. »oikumene«.
63 Photios will sagen: Die Bewohner der Vorstädte Konstantinopels
   wurden entweder im Meer ertränkt oder in ihren Häusern verbrannt
   oder mit dem Schwert erschlagen. Im Verständnis des Satzes folge ich
   Mango, S. 91, Anm. 58. – Der Ausdruck »Mund des Schwertes« ist
   biblischer Herkunft, vgl. etwa Genesis 34, 26; zu »Kinder deines
   Schoßes« vgl. Jes. 48, 19.
64 Photios meint: Konstantinopel war sonst »gute Hoffnung«, d. h.
   Zufluchtsort in Kriegszeiten; jetzt aber ist die unmittelbare Umgebung
   der Stadt so verheert worden, daß es den Ruhm, »gute Hoffnung für
   viele« zu sein, verloren hat.
65 Dazu Mango, S. 91, Anm. 59: »Daß das Heer unter dem Kommando
   eines oder mehrerer Anführer stand, versteht sich von selbst; aber
   verglichen mit einer regulären byzantinischen Streitmacht mußte es
   sicherlich den Eindruck einer nicht organisierten Bande von Seeräu-
   bern machen.«
66 Mango, S. 75.
67 Mango, S. 80 f.
68 Griechisch »ἀφύλακτον, ἀνεξέλεγκτον«. Mango (S. 98) übersetzt:
   »unwatched, unchallenged«; Graber: »Es wiegt sich in Sorglosigkeit,
   ist nicht aufspürbar«. Wegen des folgenden ἀστρατήγητον« = »es ist
   ohne Heerführer« möchte ich meinen, daß auch die beiden fraglichen
   Worte in ähnlichem Sinn zu verstehen sind: »Es gibt keine geordnete

Obrigkeit, die über die Taten der Untertanen wacht und diese bei Verbrechen zur Rechenschaft zieht.«

69 Theophanes continuatus, Bonn, S. 196; Migne, PG, Bd. 109, Sp. 209–212.

70 Anspielung auf den griechischen Namen des Schwarzen Meeres, »Pontos euxeinos«, wörtlich »Gastfreundliches Meer«.

71 Man darf die Stelle nicht so verstehen, als sollte gesagt werden, die »Russen« seien vom Zorn Gottes geschlagen worden. Vielmehr ist gemeint: »Sie haben Vorteil davon gehabt, daß Gott gegen uns zornig war.« Als der Zorn Gottes besänftigt war, konnten sie nichts mehr ausrichten und segelten ab. Es ist der gleiche Gedanke, den Photios in § 25 der zweiten Predigt ausspricht, s. o. – Mango versteht den Satz offenbar in dem von mir abgelehnten Sinn.

72 Nestorchronik, Sp. 21 f. Zur Jahreszählung s. Anm. 1. – Die Jahresangabe der Chronik ist falsch. Die Nachricht der Nestorchronik über den Feldzug von 860 beruht nicht auf einheimischer, russischer Überlieferung, sondern ist einer griechischen Quelle entnommen, der Fortsetzung der Chronik des Georgios Hamartolos (»Georgius continuatus«), diese auf der sogenannten Chronik des Symeon Logothetes, die nicht viel später als der Theophanes continuatus entstanden ist (um 960). Offenbar war Symeon Logothetes derjenige, der die Nachricht von der Rückkehr des Kaisers und von dem Meerwunder mit dem Gewand der Gottesmutter erfunden (oder mindestens: der es in die Chronik eingetragen) hat. Zur Chronik des Symeon Logothetes s. Zett. Die Erzählung über den Überfall der Russen bei Zett auf S. 106.

73 In der Chronik war vorher erzählt worden, daß Askol'd und Dir Untergebene des Fürsten Rjurik, der in Nówgorod residierte, gewesen seien und daß sie sich in Kiew als Fürsten niedergelassen, den Chasaren die Tributhoheit über die Umgebung von Kiew entrissen und viele Waräger um sich versammelt hätten.

74 Auch diese Jahresangabe ist falsch, s. Anm. 47.

75 »Hagarener«, eine aus dem Griechischen übernommene Bezeichnung der Araber, bedeutet eigentlich »Nachkomme der Hagar«, nach der biblischen Erzählung von Genesis (1. Mose) 16 und 21.

76 Der Name »Schwarzer Fluß«, griech. »Mauropotamos«, kommt mehrfach vor. Ein Fluß dieses Namens mündet in den Bosporus, ein anderer fließt bei Nikomedien, ein dritter in Kappadozien. Nach der ersten Predigt des Photios muß der Kaiser zur Zeit des Überfalls weit von Konstantinopel entfernt gewesen sein. So kommen die beiden ersten Flüsse nicht in Frage (s. Mango, S. 80).

77 Eparch: Oberbefehlshaber einer Provinz. In den griechischen Quellen, die dem Bericht der Nestorchronik zugrunde liegen, wird er nicht als »Eparchos«, sondern als »Hyparchos« = »Unterbefehls-

haber« bezeichnet, und er wird mit Namen benannt: Oryphas oder Ooryphas.

78  Die »Meerenge«, altruss. »sud«. Gemeint ist nicht, wie vielfach zu lesen ist, das Goldene Horn, der eigentliche Hafen Konstantinopels, sondern der Bosporus.

79  In den griechischen Quellen, die dem Bericht der Nestorchronik zugrunde liegen, steht hier statt »Fluß«: »Meer«. Gemeint ist wohl das Goldene Horn, in dessen Nähe sich die Blachernai-Kirche befand.

80  So sogar Ostrogorsky, 1952, S. 184. Ich folge im allgemeinen der wohlbegründeten Auffassung von Levčenko, S. 57–77, Mango, S. 77 ff.

81  Diese Möglichkeit läßt auch Mango (S. 78 f.) zu. Er verweist dabei auf Theophanes continuatus und die Brüsseler Chronik. Aber der erstere sagt das in Wirklichkeit nicht (s. o., Anm. 71), und die verhältnismäßig späte, erst aus dem 11. Jahrhundert stammende Brüsseler Chronik kann sehr wohl das Datum des Überfalls richtig übernommen haben, aber in der Auffassung vom Ende des Feldzuges (nämlich daß die »Russen« besiegt worden seien) der seit etwa 960 herrschenden Meinung gefolgt sein. Ferner meint Mango: Wenn der Feldzug für die »Russen« ein Erfolg gewesen wäre, dann hätte das russische Geschichtsbewußtsein die Erinnerung an ihn besser bewahrt. Aber dem russischen Geschichtsbewußtsein des 10. und 11. Jahrhunderts war die ganze Epoche der Herrschaft von Askol'd und Dir offenbar völlig aus dem Gedächtnis geschwunden. Die Ermordung von Askol'd und Dir durch Olég und die Übernahme der Herrschaft in Kiew durch Olég waren anscheinend ein tiefer Einschnitt im historischen Bewußtsein des alten Rußland.

82  Nestorchronik, Jahr 859, Sp. 19.

83  S. o., S. 20 f. und Anm. 23.

84  Über ihn bahnbrechend Dvornik, »Const. et Meth.«; zusammenfassend Grivec. Die wichtigsten Quellen über sie sind ihre in kirchenslawischer Sprache abgefaßten Viten (s. im Literaturverzeichnis unter »Vita«).

85  Dieser Vorschlag ist zuerst von Vaillant 1935 gemacht worden; ausführlich begründet ist er von Dietrich Gerhardt 1953. Auch Grivec, S. 49, hat sich dieser Meinung angeschlossen.

86  Vita Methodii, Kap. 2; dazu Dvornik, »Const. et Meth.«, S. 15 ff.

87  Siehe dazu Shevelov, Unbegaun.

88  Daß es in Wirklichkeit kaum so gewesen ist, zeigt Dvornik, »Const. et Meth.«, S. 190 ff.

89  Ostrogorsky, 1952, S. 184 f.

90  Migne, PG, Bd. 102, Sp. 585–990.

91  S. o., S. 41; Theophanes continuatus, Bonn, S. 196.

92  S. u., S. 63, den Bericht des Konstantin Porphyregonnetos über Basileios I.

93  So vermutet Dvornik, »Const. et Meth.«, S. 178.

94 Das griechische Wort »nomos« bedeutet zunächst »Sitte«, »Brauch«, »Herkommen«, »Gesetz«. Ähnlich russisch »zakón«, was auch einfach »Religion« heißt.

95 Ostrogorsky, 1952, S. 181 f. Die römische Kirche hatte sich durch ihre Anlehnung an das Fränkische Reich, die in der Kaiserkrönung Karls d. Gr. im Jahre 800 gipfelte, dem byzantinischen Staatsuniversalismus entzogen.

96 Jugie, S. 105–116; Dvornik, »The Photian Schisme«, S. 91–131; Ostrogorsky, 1952, S. 181–187; Beck, S. 520–528.

97 Migne, PG, Bd. 102, Sp. 736.

98 Mit dem »großen Wagstück« ist der zur Zeit der Abfassung dieses Briefes sieben Jahre zurückliegende Überfall der »Russen« auf Konstantinopel gemeint.

99 Röm. 1, 29.

100 Die Biographie Basileios I. ist das 5. Buch des Theophanes continuatus, das Kapitel über die Bekehrung der Russen in der Ausgabe Bonn, 1838, S. 342–344; Migne, PG, Bd. 109, S. 360; deutsch bei Breyer, S. 145 f.

101 Das griechische Wort »archiereus« kann sowohl den Bischof wie auch den Erzbischof bezeichnen.

102 Daniel, Kap. 3.

103 Joh. 14, 14.

104 Joh. 14, 12.

105 Matth. 4, 7; Deuteronomium 6, 16.

106 Griech. »hiereus«, kann auch Bischöfe bezeichnen.

107 Vgl. Joh. 12, 28.

108 Jugie, S. 173.

109 Nestorchronik, S. 22–24; Hld. u. Hl., S. 12.

110 Nestorchronik, Sp. 32; Hld. u. Hl., S. 14.

111 Nestorchronik, Sp. 29–32; Hld. u. Hl., S. 13 ff. Da der Angriff in keiner byzantinischen Quelle erwähnt wird, hat man verschiedentlich Zweifel geäußert, ob dieser Feldzug überhaupt stattgefunden hat oder ob er nicht vielmehr reine Sage oder Fiktion ist. Aber die Geschichtlichkeit des Feldzuges ist mit guten Gründen verteidigt von Ostrogorsky, 1939, Vasiliev, S. 161–225, Levčenko, S. 119, Sacharov, »Diplomatija Drevnej Rusi«, S. 84 ff.

112 Die Kirche des heiligen Mamas lag in einem kaiserlichen Vorstadtkomplex am europäischen Ufer des Bosporus in der Nähe der heutigen Sinan Paşa-Moschee in dem Vorort Beşiktaş, etwa 4 km von der Galata-Brücke entfernt (H. G. Beck, brieflich). Näheres bei Janin.

113 Nestorchronik, Sp. 31 f.

114 Nestorchronik, Sp. 32; Hld. u. Hl., S. 14.

115 Siehe oben, S. 23. Zum folgenden s. Ostrogorsky, 1939, S. 23.

116 Konst. Porph., De adm. imp., Kap. 9, Bd. 1, S. 57–62.

117 Der Bericht dürfte um 944 entstanden sein, geschrieben vielleicht von einem Teilnehmer der byzantinischen Gesandtschaft, die im Jahr 944 zum Abschluß des Friedensvertrages nach Kiew reiste. Der Gewährsmann des griechischen Verfassers dürfte ein schwedisch sprechender »Russe« gewesen sein, der aber auch die slawische Sprache kannte (Konst. Porph., De adm. imp., Bd. 2, S. 18).

118 Ebenda, Bd. 1, S. 60.

119 Einzelnes im Kommentar von Obolensky, ebenda, Bd. 2, S. 55 f.

120 Ebenda, Bd. 2, S. 56.

121 Über die Dauer der Reise und des Aufenthaltes ebenda, S. 37.

122 Nestorchronik, Sp. 31. S. o., Anm. 112.

123 Auch dieser Vertrag ist in keiner byzantinischen Quelle, sondern nur in der Nestorchronik in seiner slawisch-sprachigen Ausfertigung erhalten. Die Echtheit des Vertrages ist nicht zu bezweifeln. Nestorchronik, S. 46 ff.

124 Ebenda, Sp. 47.

125 Ebenda, Sp. 52.

126 2. Könige 2, 11. Vgl. die wunderbare Nowgoroder Ikone des Propheten Elias aus der Zeit um 1400, Onasch, Tafel 28 und Tafel 76 und die Anmerkungen dazu; ferner die Ausmalung der Eliaskirche in Jarosslawl' aus dem 17. Jahrhundert.

127 Siehe dazu Vasmer, Bd. 2, S. 345.

128 Zur Topographie der Eliaskirche s. Toločko, S. 46 f. 1692 ist in der Iljinskaja-Straße eine dem Propheten Elias geweihte Kirche gebaut worden, vielleicht an der Stelle oder mindestens in der Nähe des Ortes, wo die alte Elias-Kirche gestanden hatte, s. dazu »Kiev, Enc. spr.«, S. 203. Über die Potschajna ebenda. – Die Bedeutung der Geländenamen »Passyntscha Besseda« und »Kosarja« ist umstritten. »Kosarja« bezeichnet vielleicht eine Straße oder ein Quartier, in dem Chasaren lebten. Manche ziehen das Wort »Kozare« zum folgenden Satz, der dann besagen würde: »denn es gab viele christliche Waräger und Chasaren«.

129 Russisch »sbornaja c'rky«.

130 Unter den Jahren 945–946, Nestorchronik, Sp. 54–60; Hld. u. Hl., S. 16–20.

131 Nestorchronik, Sp. 60–64; Hld. u. Hl., S. 20–23.

132 Ebenda: Sp. 67–69; S. 24.

133 Das Fest der Ol'ga wird am 11. Juli gefeiert. Dies ist also nach der kirchlichen Tradition ihr Todestag im Jahre 969.

134 Ursprünglich war in der Erzählung wohl gesagt, an *welcher* Stelle Ol'ga begraben war. Da ihre Gebeine später in die Zehntkirche übertragen wurden, war die Überlieferung über den ursprünglichen Begräbnisort vielleicht unsicher geworden oder verlorengegangen.

135 Mit »Totenfeier«, russ. »tryzna«, ist die heidnische rituelle Totenfeier gemeint, die mit Spielen, Wettkämpfen und reichlichem Genuß

berauschender Getränke verbunden war. Vgl. den Bericht über eine solche Totenfeier in Nestorchronik, Sp. 57, Hld. u. Hl., S. 18. Vielleicht war mit dem Verbot der Totenfeier verbunden, daß auch kein großer Grabhügel aufgeschüttet wurde, weil dies zum heidnischen Ritus gehörte. Insofern sind Begräbnisstelle und Begräbnisfeier eng miteinander verbunden.

136 Ein Priester namens Gregorios, der im Gefolge der Ol'ga nach Konstantinopel gekommen ist, wird auch von Kaiser Konstantin Porphyrogennetos bezeugt, s. u., S. 77. Aber auch diese Nachricht des Chronisten braucht nicht auf echter historischer Tradition zu beruhen, sondern kann eine (natürlich zutreffende) Vermutung des Chronisten sein. Sie ist aber insofern interessant, als sie zeigt, daß der Chronist nichts von einem Kiewer Bischof aus jener Zeit zu wissen scheint. Er ist offenbar der Meinung, daß auch zum Zeitpunkt des Todes der Ol'ga Rußland kein eigenes Bistum besessen hat. Das Problem des hierarchischen Status der russischen Kirche ist danach bis zu ihrem Tode nicht geklärt worden.

137 Konst. Porph., De cerem., Buch 2, Kap. 15. Eine russische Übersetzung dieses Kapitels bei Golubinskij, S. 99–102, und bei Litavrin, Putešestvie, S. 42 ff.; eine deutsche bei Schlözer, S. 79–87.

138 Ostrogorsky, 1967, S. 46 f.

139 Konst. Porph., De cerem., Bonn, S. 596.

140 Ostrogorsky, 1967, S. 49, zeigt, daß der Text an dieser Stelle so zu verstehen ist.

141 Ostrogorsky, 1967, S. 50; ich verbessere die nicht ganz korrekte deutsche Übersetzung nach dem russischen Original.

142 Siehe Litavrin und Tinnefeld.

143 Außer der Nestorchronik berichten der byzantinische Historiker des 11. Jahrhunderts Johannes Skylitzes, ferner Adalbert (über ihn s. u., S. 83) und die russische »Pamjat' i pochvala« des Mönches Ijákow. Über den (geringen) Wert dieser Nachrichten und über das Problem, warum so verhältnismäßig viele Quellen unabhängig voneinander etwas Falsches bezeugen können, spricht mit gewichtigen Argumenten Ostrogorsky, 1967, S. 42.

144 Ostrogorsky, 1967, S. 37 ff.

145 Häufig wird eingewandt, im Zeremonienbuch würden nur solche Ereignisse beschrieben, die immer wieder einmal vorkommen konnten, die Taufe Ol'gas aber sei etwas Einmaliges gewesen, von dem man nicht erwarten konnte, daß es sich wiederholen würde; deshalb sei es überflüssig gewesen, sie im Zeremonienbuch zu beschreiben. Ostrogorsky bestreitet diese Auffassung vom Zeremonienbuch mit wichtigen Argumenten.

146 Unter dem Jahr 903 berichtet die Nestorchronik: »Man führte ihm (Igor') aus Pskow eine Frau als Gattin zu, mit Namen Olene (= He-

lena).« Aber diese Nachricht verdient wenig Vertrauen. Die Chrono-
logie ist fast unmöglich. Sehr verdächtig ist auch, daß Ol'ga hier schon
mit ihrem Taufnamen genannt wird, was der Tauferzählung der
Nestorchronik selbst widerspricht.

147 Nestorchronik, Sp. 61; Hld. u. Hl., S. 21.
148 Ostrogorsky, 1952, S. 212–215; ders., 1935, S. 53–64.
149 Der Bulgarenzar Peter heiratete im Jahre 927 eine Enkelin des Kaisers
    Romanos I.; Konstantin Porphyrogennetos hat diese Eheschließung
    ausdrücklich mißbilligt, s. Anm. 196.
150 Siehe oben, S. 63.
151 Nestorchronik, Sp. 62 f.; Hld. u. Hl., S. 22.
152 Adalbert, S. 214–227.
153 Siehe oben, S. 78 und Anm. 143.
154 Die Daten nach Köpke/Dümmler, S. 311–321.
155 Nestorchronik, Sp. 85; Hld. u. Hl., S. 34.
156 Ebenda, Sp. 63; S. 22.
157 Ostrogorsky, 1952, S. 234 ff.; Sacharov, 1982, S. 183 ff.
158 Nestorchronik, Sp. 74; Hld. u. Hl., S. 29.
159 Ebenda, Sp. 73; S. 28.
160 Nestorchronik, Sp. 69.
161 »Wolodímer« ist die ostslawische, »Wladímer« oder »Wladímir« die
    kirchenslawische Form des Namens. Die letztere hat sich erst im
    16. Jahrhundert durchgesetzt.
162 Nestorchronik, Jahr 970, Sp. 69.
163 Nestorchronik, Jahr 980, Sp. 76; Hld. u. Hl., S. 29.
164 Ebenda, Jahr 970, Sp. 69.
165 Ebenda, Jahr 977, Sp. 74.
166 Ebenda, Sp. 75.
167 Ebenda, Jahr 1044, Sp. 155.
168 Siehe dazu Dinkler. Vgl. auch die Sage vom Kreuzesbaum, nach der
    das Blut, das vom Kreuz Christi herabfloß, den unter dem Kreuz
    liegenden Schädel Adams berührt und ihn dadurch getauft hat.
169 Vgl. zum folgenden den auf sehr gründlichen Studien beruhenden und
    scharfsinnig argumentierenden Aufsatz von Nazarenko.
170 Lambert, S. 63.
171 Nazarenko weiß immerhin gewichtige Gründe dafür anzuführen.
172 Nestorchronik, Sp. 80.
173 So Nazarenko.
174 Nestorchronik, Sp. 75.
175 Ebenda, Jahr 980, Sp. 75–78; Hld. u. Hl., S. 29–31.
176 Ebenda, Sp. 79; Hld. u. Hl., S. 31.
177 Vgl. etwa zu dieser Stelle Ps. 105 (106), 37–39; Ezechiel 33, 11.
178 Nestorchronik, Sp. 82 f.; Hld. u. Hl., S. 32.
179 Die spätere Überlieferung legt ihnen die Namen Feodor und Ioann bei.
    Ihr Festtag ist der 12. Juli. S. Barsukov, Sp. 584–586.

180 Nestorchronik, Jahr 980, Sp. 79–81; Hld. u. Hl., S. 31 f.
181 Ebenda, Sp. 84–121; Hld. u. Hl., S. 33–43.
182 Nestorchronik 986, Sp. 105 f.; Hld. u. Hl., S. 36.
183 Siehe dazu ausführlich Müller, 1988.
184 Nestorchronik, Jahr 988, Sp. 110; Hld. u. Hl., S. 39.
185 Ebenda, Sp. 117 f.; Hld. u. Hl., S. 42.
186 Nach Rapov, S. 39, wurde Kórssun' erst nach dem 26. Oktober 989 eingenommen. Die Frage bedarf weiterer Diskussion.
187 Nestorchronik, Jahr 988, Sp. 109 ff.; Hld. u. Hl., S. 38 ff.
188 Ebenda, Sp. 109 f.; S. 39.
189 Der altrussische Text ist veröffentlicht in: Ilarion, 1962, und Ilarion, 1984; eine deutsche Übersetzung in Ilarion, 1971. Zur Intention der Rede des Ilarion s. Ilarion, 1962, S. 24.
190 Ilarion, 1971, S. 42 f.
191 Der russische Text ist veröffentlicht von Bugoslavskij; auch bei Golubinskij, S. 238, und bei Makarij, S. 249–257. Deutsch von Wolfgang Fritze in »Russische Heiligenlegenden«, S. 42–50. Leider fehlt in dieser Übersetzung der dritte Teil, der historisch besonders interessant ist.
192 Golubinskij, S. 245.
193 Der arabische Text bei Yaḥjā, s. Literaturverzeichnis. Die folgende Übersetzung verdanke ich meinem Tübinger Kollegen Prof. Josef van Eß.
194 Leon Diakonos, Bonn, S. 175; Migne, Sp. 908. Vgl. Anm. 186.
195 Siehe im Literaturverzeichnis unter Poppe.
196 Otto II. bekam nicht, wie sein Vater gewünscht hatte, Anna, die »purpurgeborene« Tochter des Kaisers Romanos II., sondern Theophano, eine nicht-purpurgeborene Verwandte des Kaisers Johannes Tzimiskes, zur Frau. Statt zur Gemahlin des westlichen Kaisers wurde Anna nun zur Gemahlin des gerade erst getauften Wladímir. Die Nestorchronik wird nicht so unrecht haben, wenn sie Anna vor ihrer Abreise nach Rußland sagen läßt: »Wie in die Gefangenschaft gehe ich. Besser wäre es mir, hier zu sterben.« (Nestorchronik, 988, Sp. 110; Hld. u. Hl., S. 40.) – Literatur zu Theophano bei Ostrogorsky, 1952, S. 237, Anm. 2. Konstantin Porphyrogennetos, der Großvater der Geschwister Basileios II., Konstantin VIII. und Anna, hatte in »De adm. imp.«, Kap. 13, die Verbindung byzantinischer Prinzessinnen mit auswärtigen Herrschern streng verurteilt, vgl. Anm. 149. »Der Fürst Wladimir war der erste, der gewürdigt wurde, die Hand einer wirklich purpurgeborenen Prinzessin zu erlangen« (Ostrogorsky, 1967, S. 52).
197 Nestorchronik, Jahr 1074, Sp. 189; Hld. u. Hl., S. 68.
198 Ebenda, Jahr 987, Sp. 107 f.; Hld. u. Hl., S. 36–38.
199 Poppe, 1979, S. 20 ff.
200 Müller, 1959; Poppe, 1979.
201 Poppe, 1976, S. 204 f.
202 Ilarion, 1971, S. 43 f.

128

## Alphabetisches Verzeichnis der in diesem Buch zitierten Literatur und der dafür verwendeten Abkürzungen

Adalbert = Adalberts Fortsetzung der Chronik Reginos, in: Quellen zur Geschichte der sächsischen Kaiserzeit. – Darmstadt, 1971, S. 214–227.

Ahrweiler, Hélène: Les relations entre les Byzantins et les Russes au IXe siècle. – In: Byzance et la Russie du XIe au XVe siècle, Athènes; Paris, 1971, S 44–70.

Annales Bertiniani, recensuit G. Waitz. – Hannover, 1883.

Barsukov, Nikolaj: Istočniki russkoj agiografii. – SPB, 1882.

Beck, Hans-Georg: Kirche und theologische Literatur im byzantinischen Reich. 2. Aufl. – München, 1977.

BHG = Bibliotheca hagiographica graeca. 3. Aufl. – Bruxelles, 1957.

Breyer = Vom Bauernhof auf den Kaiserthron. Leben des Kaisers Basileios I., beschrieben von Konstantinos VII. Porphyrogennetos. Übersetzt, eingeleitet und erklärt von Leopold Breyer. – Graz; Wien; Köln, 1981.

Brøndsted, Johannes: Die große Zeit der Wikinger. – Neumünster, 1964.

Bugoslavskij, S. A.: K literaturnoj istorii »Pamjati i pochvaly« knjazju Vladimiru. – In: Izvestija Otdelenija russkogo jazyka i slovesnosti Akademii nauk 39 (1925), 105–159.

Bujnoch, Josef: Zwischen Rom und Byzanz. 2. Aufl. – Graz; Wien; Köln, 1972.

Cumont, Franz: Anecdota Bruxellensia, I: Chroniques byzantines du manuscrit 11376. – Gand, 1894.

Delehaye, Hippolyte: Die hagiographischen Legenden. Übersetzt von E. A. Stückelberg. – Kempten; München, 1907.

Dinkler, E.: Totentaufe. – In: Religion in Geschichte und Gegenwart, 3. Aufl., Bd. 6, 1962, Sp. 958.

Dvorník, Fr.: Les Légendes de Constantin et de Méthode, vues de Byzance. – Prague, 1933.

Dvorník, Francis: The Photian Schism. History and Legend. – Cambridge, 1948.

Gerhardt, Dietrich: Goten, Slaven oder Syrer im alten Cherson? – In: Beiträge zur Namenforschung 4 (1953), 78–88.

Golubinskij, E. E.: Istorija russkoj cerkvi I, 1. 2. Aufl. – M., 1901.

Graber, Rudolf: »Längst hätten wir uns bekehren müssen«. Die Reden des Photius beim Russenangriff auf Konstantinopel 860. – Innsbruck, 1960.

Grivec, Franz: Konstantin und Method. Lehrer der Slaven. – Wiesbaden, 1960.

Hld. u. Hl. = Ludolf Müller: Helden und Heilige aus russischer Frühzeit. Dreißig Erzählungen aus der altrussischen Nestorchronik. – München, 1984.

Janin, Raymond: Constantinople Byzantin. 2. Aufl. – Paris, 1964.

Ijakov: Pamjat' i pochvala / . . . / Siehe Bugoslavskij.

Ilarion 1962 = Des Metropoliten Ilarion Lobrede auf Vladimir d. Hl. und Glaubensbekenntnis. Hrsg. von Ludolf Müller. – Wiesbaden, 1962.

Ilarion 1971 = Die Werke des Metropoliten Ilarion. Übersetzt von Ludolf Müller. – München, 1971.

Ilarion 1984 = A. M. Moldovan: »Slovo o zakone i blagodati« Ilariona. – Kiev, 1984.

Jugie, Martin: Le schisme byzantin. – Paris, 1941.

Kiev, Enc. spr. = Kiev. Ėnciklopedičeskij spravočnik. Pod red. A. V. Kudrickogo. – Kiev, 1982.

Köpke, Rudolf und Ernst Dümmler: Kaiser Otto der Große. – Leipzig, 1876.

Konst. Porph., De adm. imp. = Constantine Porphyrogenitus De administrando imperio. Bd. 1: Greek Text, Edited by Gy. Moravcsik, Budapest 1949; Bd. 2, Commentary, London, 1962.

Konst. Porph., De cerem. = Constantinus Porphyrogenitus: De ceremoniis aulae Byzantinae, hrsg. v. I. I. Reiske im Bonner Corpus der byzantinischen Geschichtsschreiber, Bonn, 1829, 1830; Migne, PG, Bd. 112; Albert Vogt: Constantin VII Porphyrogénète, Le Livre des cérémonies, mit französischer Übersetzung.

Lambert = Lamberti Annales. – In: Monumenta Germanie Historica, Scriptores, Bd. 3, 1894.

Lehr-Spławiński, T.: Żywoty Konstantyna i Metodego. – Poznań, 1959.

Leon Diakonos: Historia. Hrsg. von K. B. Hase, Bonn, 1828; Migne, PG, Bd. 117, 635–926; deutsche Übersetzung: Nikephoros Phokas / . . . / und Johannes Tzimiskes / . . . / in der Darstellung des Leon Diakonos. Übersetzt von Franz Loretto. – Graz; Wien; Köln, 1961.

Levčenko, M. V.: Očerki po istorii russko-vizantijskich otnošenij. – M., 1956.

Litavrin, G. G.: Putešestvie russkoj knjagini Ol'gi v Konstantinopol'. – In: Vizantijskij vremennik 42 (1981), 35–48.

Litavrin, G. G.: O datirovke posol'stva knjagini Ol'gi v Konstantinopol'. – In: Istorija SSSR 1981, 5, 173–183.

M. = Moskva, Moskau.

Makarij (Bulgakov): Istorija russkoj cerkvi. Bd. 1, 3. Aufl. – SPB, 1889.

Mango = The Homilies of Photios, Patriarch of Constantinople. English Translation, Introduction and Commentary by Cyril Mango. – Cambridge, Mass., 1958.

Migne, PG = Patrologiae cursus completus, Series graeca. Hrsg. J. P. Migne. – Paris, 1857 ff.

Müller, Carolus: Fragmenta historicorum graecorum. Bd. 5. – Paris, 1870.

Müller 1959 = Ludolf Müller: Zum Problem des hierarchischen Status und der jurisdiktionellen Abhängigkeit der russischen Kirche vor 1039. – Köln-Braunsfeld, 1959.

Müller 1974 = Ludolf Müller: Drevnerusskoe skazanie o choždenii apostola Andreja v Kiev i Novgorod. – In: Letopisi i chroniki 1973, M., 1974, 48–63.

Müller 1988 = Ludolf Müller: Die Chronikerzählung über die Taufe Vladimirs d. Hl. (Soll erscheinen im Sammelband der westdeutschen Slavisten zum Slavistenkongreß in Sofija, 1988.) In gekürzter Fassung erschienen u. d. T.: Rasskaz o kreščenii Vladimira Svjatoslaviča iz »Povesti vremennych let«, in: Problemy izučenija kul'turnogo nasledija, M., 1985.

Nazarenko, A. V.: Rus' i Germanija v 70-e gody X veka. – Demnächst in: Russia Mediaevalis.

Nestorchronik = Povest' vremennych let, in: Polnoe sobranie russkich letopisej, Bd. 1, 2. Aufl., Leningrad, 1926. Neudruck in: Handbuch zur Nestorchronik, hrsg. von Ludolf Müller, Bd. 1, München, 1977.

Onasch, Konrad: Ikonen. – Berlin, 1961.

Ostrogorsky 1935 = G. Ostrogorsky: Die Krönung Symeons von Bulgarien durch den Patriarchen Nikolaos Mystikos, 1935. Neudruck in: Ostrogorsky 1974, 53–64.

Ostrogorsky 1939 = G. Ostrogorsky: L'expédition du prince Oleg contre Constantinople en 907, 1939. Neudruck in: Ostrogorsky 1974, 17–34.

Ostrogorsky 1952 = Georg Ostrogorsky: Geschichte des byzantinischen Staates. – München, 1952.

Ostrogorsky 1967 = G. Ostrogorsky: Byzanz und die Kiewer Fürstin Olga, 1967. Neudruck in: Ostrogorsky 1974, 35–52.

Ostrogorsky 1974 = Georg Ostrogorsky: Byzanz und die Welt der Slawen. – Darmstadt, 1974.

Pamjat' i pochvala knjazju Vladimiru – s. Bugoslavskij.

Podskalsky, Gerhard: Christentum und theologische Literatur in der Kiever Rus' (988–1237). – München, 1982.

Poppe 1976 = Andrzej Poppe: The Political Background to the Baptism of Rus'. Byzantine–Russian Relations between 986–989, 1976. Neudruck in: Poppe 1982.

Poppe 1979 = Andrzej Poppe: The Original Status of the Old-Russian Church, 1979. Neudruck in: Poppe 1982.

Poppe 1982 = Andrzej Poppe: The Rise of Christian Russia. – London, 1982.

Randow = Die pannonischen Legenden. Aus dem Altslawischen übertragen und herausgegeben von Norbert Randow. 3. Aufl. – Berlin, 1977.

Rapov, O. M.: O date prinjatija christianstva knjazem Vladimirom i Kievljanami. – In: Voprosy istorii 1984, 6, S. 34–47.

Rauch, Georg von: Frühe christliche Spuren in Rußland. – In: Saeculum 7 (1967), 1, S. 40–67.

Russische Heiligenlegenden. Hrsg. von Ernst Benz. – Zürich, 1953.

Sacharov 1980 = Andrej Nikolaevič Sacharov: Diplomatija Drevnej Rusi. IX – pervaja polovina X v. – M., 1980.

Sacharov 1982 = A. N. Sacharov: Diplomatija Svjatoslava. – M., 1982.

Schlözer, August Ludwig: Russische Annalen. 5. Teil. – Göttingen, 1809.

Schramm, Gottfried: »Gentem suam Rhos vocari dicebant.« Hintergründe der ältesten Erwähnung der Russen (a. 839). – In: Ostmitteleuropa. Berichte und Forschungen, hrsg. von Ulrich Haustein, Georg W. Strobel und Gerhard Wagner, Stuttgart, 1981, 1–10.

Shevelov, G. Y.: Die kirchenslavischen Elemente in der modernen russischen Literatursprache. – Wiesbaden, 1960.

Skylitzes: Ioannis Skylitzae Synopsis historiarum. Rec. Ioannes Thurn. – Berolini et Novi Eboraci, 1973. (Hier über Ol'ga auf S. 240.) Deutsche Übersetzung von Hans Thurn unter dem Titel »Byzanz – wieder ein Weltreich«. – Graz, Wien, Köln, 1983.

SPB = St. Peterburg.

SSS = Słownik starożytności słowiańskich. Bd. 1–5. – Wroclaw; Warszawa; Kraków, 1961–1982.

Theophanes continuatus. Hrsg. von I. Bekker. – Bonn, 1838.

Tinnefeld, Franz: Die russische Fürstin Olga bei Konstantin VII. und das Problem der »purpurgeborenen Kinder«. – Demnächst in: Russia Mediaevalis.

Toločko, P. P.: Drevnij Kiev. – Kiev, 1976.

Unbegaun, Boris: L'héritage cyrillo-méthodien en Russie. – In: Cyrillo-Methodiane. Zur Frühgeschichte des Christentums bei den Slawen. 863–1963, Köln; Graz, 1964, 470–482.

Vasilevskij, V.: Russko-vizantijskie issledovanija. Bd. 2. – SPB, 1893. Dasselbe, Band 3. – Petrograd, 1915.

Vasiliev, A. A.: The Second Attack on Constantinople. – In: Dumbarton Oaks Papers 6 (1951), 161–225.

Vasmer, Max: Russisches etymologisches Wörterbuch. Bd. 1–3. – Heidelberg, 1953–1958.

Vita Constantini, Vita Methodii. Kirchenslawischer Originaltext: s. Lehr–Spławiński; deutsche Übersetzung s. Bujnoch, Randow.

Vlasto, A. P.: The Entry of the Slavs into Christendom. – Cambridge, 1970.

Yahjā. Der arabische Text seiner Chronik mit französischer Übersetzung ist abgedruckt in: Patrologia Orientalis, Bd. 23; der Bericht über die Taufe Rußlands S. 422–424; der arabische Text mit deutscher Übersetzung in: Peter Kawerau, Arabische Quellen zur Christianisierung Rußlands, Wiesbaden, 1967, S. 14–19.

Zett = Die Chronik des Symeon Metaphrastes und Logothetes. Nachdruck der slavischen Übersetzung in der Ausgabe von V. I. Sreznevskij mit einer Einleitung von Robert Zett. – München, 1971.

# QUELLEN UND STUDIEN
# ZUR RUSSISCHEN
# GEISTESGESCHICHTE

Band 1

Wladimir Solowjew

## Kurze Erzählung
## vom Antichrist

Übersetzt und erläutert von
Ludolf Müller

128 Seiten, DM 12,80

»Diese Erzählung ist das bekannteste, meistgelesene und
meistdiskutierte Dokument des
berühmten russischen Religions-
philosophen.«

(Badische Neueste Nachrichten)
Bestell-Nr. 48

Band 2

Ludolf Müller

## Dostojewskij.
## Sein Leben – Sein Werk –
## Sein Vermächtnis

128 Seiten, DM 12,80

Enthält neben einem biographi-
schen Abriß eine Interpretation der
fünf großen Romane Dostojew-
skijs: »Schuld und Sühne«, »Der
Idiot«, »Die Dämonen«, »Der Jüng-
ling«, »Die Brüder Karamasow«.
Das Buch ist in gut lesbarer, allgemein verständlicher Form geschrieben. Eine Bibliographie gibt
Auskunft über die großen Werkaus-
gaben in russischer und deutscher
Sprache und über die wichtigste
Forschungsliteratur.
Bestell-Nr. 100

Band 3

Ludolf Müller

## Helden und Heilige
## aus russischer Frühzeit

Dreißig Erzählungen aus der
altrussischen Nestorchronik

128 Seiten, 1 Stammtafel,
1 Kartenskizze, DM 12,80
Bestell-Nr. 101

Band 4

Fjodor M. Dostojewskij

## Der Großinquisitor

Übersetzt von Marliese Ackermann
Herausgegeben und erläutert von
Ludolf Müller

128 Seiten, DM 12,80
Bestell-Nr. 102

Band 5

Ludolf Müller

## Wege zum Studium
## der russischen Literatur

Wie interpretiert man einen
literarischen Text?
Was muß man wissen vom
russischen Vers?
Was sollte man gelesen haben aus
der russischen Literatur?

Eine Geschichte der russischen
Literatur in 267 Fragen.

152 Seiten, DM 12,80
Bestell-Nr. 103

## ERICH WEWEL VERLAG
## ANZINGER STRASSE 1 · 8000 MÜNCHEN 80